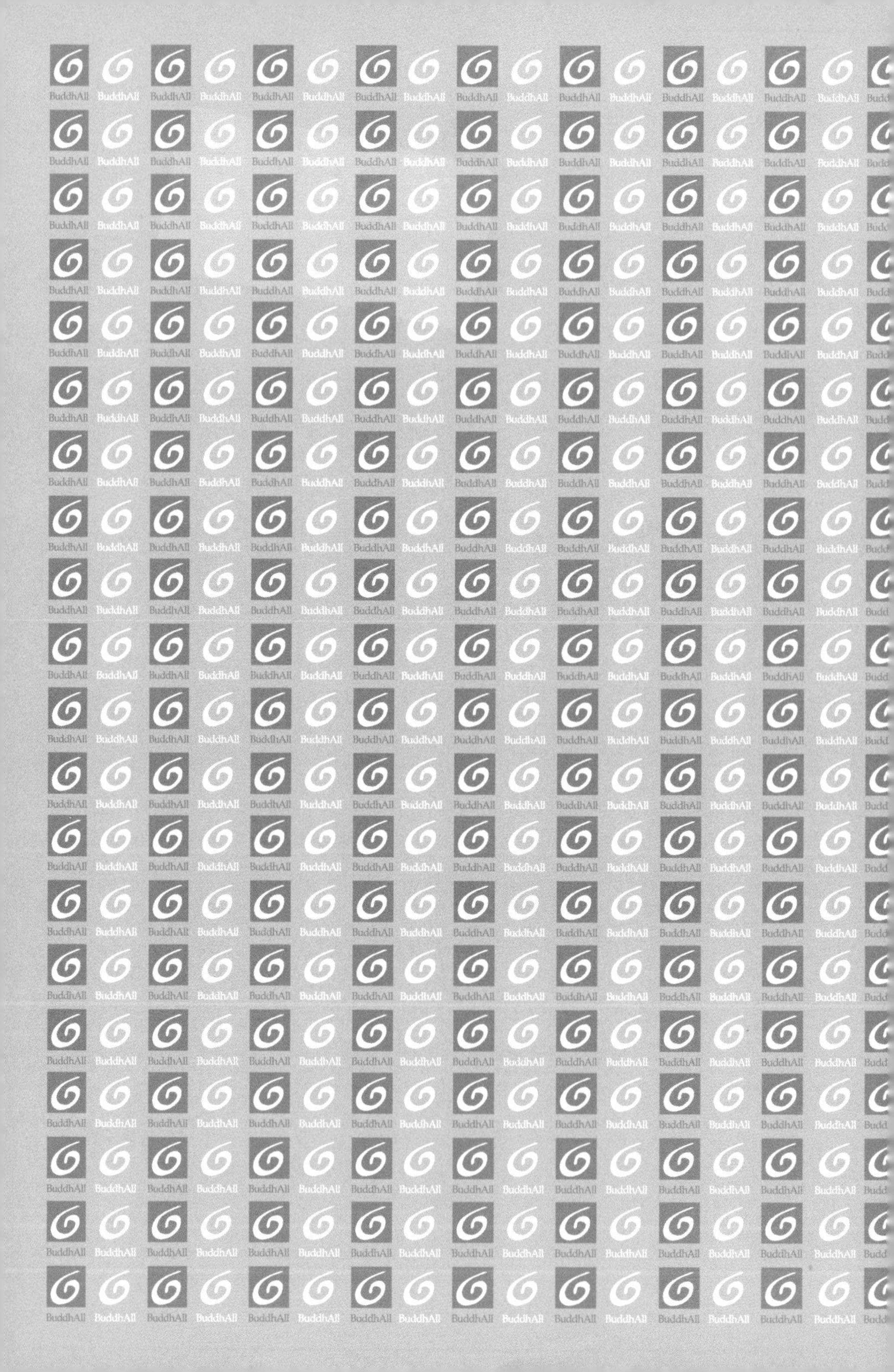

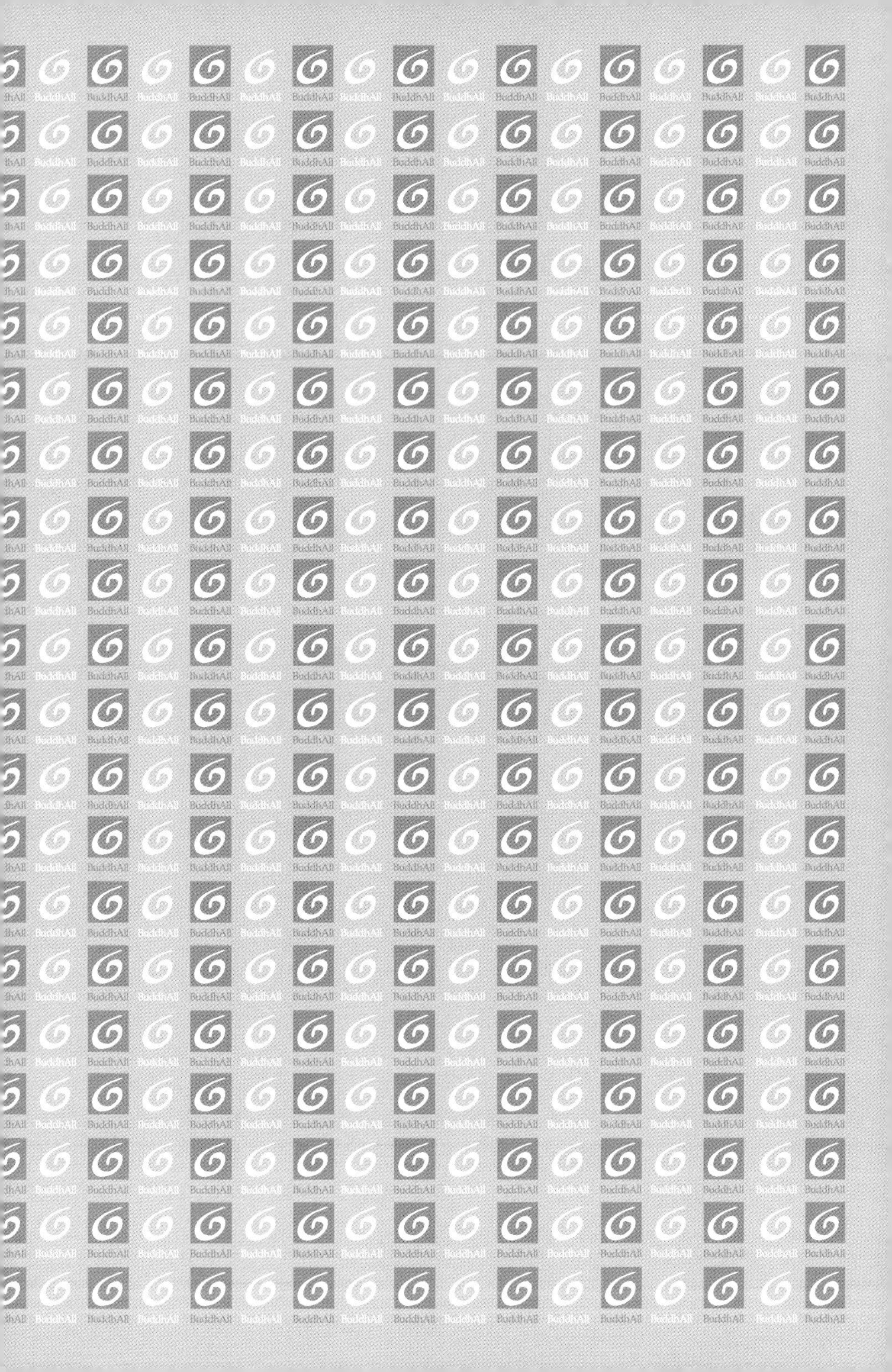

西藏密宗

蔣貢密彭法王 原著
Lobsang Dakpa · Jay Goldberg 英譯
談錫永 編譯

妙 吉 祥 占 卜 法

目　錄

附錄

薩迦法王序

關於西藏文化和宗教的書籍，數量與日俱增，不但令西方社會眼界大開，同時亦對他們產生影響。其中少數作品，持平地探討了我們的生活和文化；但是大部份書籍，無非是以偏概全地看待西藏。因此便令讀者對於西藏，只能留下片面的印象。

對本書 —— 西藏密宗占卜法（*MO: Tibetan Divination System*）的看法，實在應該連繫着西藏文化的背景來理解。西藏密宗占卜，不應該被孤立地視之為裝模作樣的宗教儀式，認為它和融合於藏民日常生活中的佛陀甚深教法完全無涉。

佛教教義 —— 尤其是大乘的傳統，認為最殊勝的功德就是利益有情。例如菩薩，便是在菩提道上精進，以求利益眾生的一位有情。很多佛經都告訴我們：若能令他人得到世間及出世間利益的話，菩薩都會毫不猶豫地利用各種善巧方便。這是因為菩薩的使命，便即是協助他人，諸如賜予教法、布施藥食等實物，並作無畏施、慈施，和教導如何面對世間苦等。

諸佛既能了知因果緣起，並洞悉它們的勝義實相，因此若能具足大信，繫諸佛於一心而作止觀的話，西藏密宗占卜必能生大利益。亦以此故，有漏眾生便能夠依止諸佛，利用西藏密宗占卜，作為解決他們日常生活煩惱的一種方法。

西藏密宗占卜有兩種主要功能。首先，它是一套能夠幫助我們了解事情狀況的系統。其次，如果我們能像其他無數西藏大德一樣，利用西藏密宗占卜，以正見來作布施的話，它也是一種能令我們在菩薩道上精進的方便法門。此外，西藏密宗占卜還有一個次要的功能：佛陀最主要和深邃的教法，就是緣起（pratītyasamutpāda）。這個教法，同時解釋了世俗諦中「因緣交互作用」的要義，和勝義諦中「空性」與「無我」的要義。當然，若要證悟緣起的話，必須在止觀上勇猛精進。而西藏密宗占卜這一法門，實在能於一剎那間，顯現出俗世中因果緣起的運作遊戲。由此路進，實亦希望人們能循此再作更深入的探索。

西藏密宗占卜的程式，在西藏可謂各師各法。本書採用的方式，是由文殊勝海不敗尊者（Mi pham 'Jam dbyangs rnam rgyal rgya mtsho, 1846-1912，譯按：舊繙作蔣貢密彭尊者）據諸佛密續而編纂的。它的權威性，來自具足諸佛智慧的文殊師利菩薩（Mañjuśrī），依止於他的加持力和大智慧。全賴由攝集文殊師利「語」而成的殊勝密咒——oṃ ah ra pa tsa na ḍhi、和他聖潔的廣大智慧，使人對緣生事情或狀況的結果，能得到準確的答案。在《文殊真實名經》（*Mañjuśrī-nāma-saṃgīti*）中，佛陀極力讚嘆文殊師利的廣大功德，並說文殊師利咒——oṃ ah ra pa tsa na ḍhi，是一切覺者表達他們對智慧的體驗。因此，依止於文殊師利的大悲加持和密咒力用，在擲骰時，便能體現一切覺者的智慧。對這一點，你絕對不必懷疑。

本書的兩位英譯者——Lobsang Dakpa 和 Jay Goldberg，對佛法有湛深的研究。他們對佛典深刻的理解，從本書中可見一斑。本譯著和為本書精繪的美麗插圖，於向英語世界如實地介紹吾土西藏的文獻中，又添上新的一頁。

薩迦赤欽法王

譯序

西藏密宗占卜，皆由喇嘛主其事，故一切占卜皆有一本尊。本法係以文殊師利菩薩作為本尊。菩薩現童身，如十六歲青春相，故稱為《妙吉祥童子占卜法》。

於眾多占卜法中，此法最為簡易。又因曾用此法為人占卜，竟有奇驗，故乃發心將此法改編，介紹給漢土人士。讀者若依儀軌進行占卜，較難者厥為觀想菩薩身相以及色光，然只須精神集中，稍加練習即無有不成功者。

介紹占卜，雖大儒亦不廢此道。宋代的朱熹，介紹《易經》筮儀；清代經師俞樾，亦為《牙牌神數》配以唐詩，皆其例證。近年既隱居夷島，頗研究西藏密宗術數，尤注意占卜法，今介紹此占法，知者當不以為宣揚迷信也。

心誠者占卜則靈，所靈者非在神祇菩薩，端在占者一心，希讀者能善會此意。

談錫永

西元一九九二年壬申農曆四月廿八日於夷島

不敗尊者

上編

占卜準備

文殊師利菩薩

上編　占卜準備

前言

頂禮文殊師利菩薩

文殊師利（Mañjuśrī）是智慧的化身。

在佛教諸大菩薩中，觀自在菩薩稱為「大悲」，文殊師利菩薩稱為「大智」。

依照西藏密宗的觀點，修行人必須以菩提心為修習基礎，而菩提心則有兩種因素，一為大悲，一為大智。所以藏密行人對這兩位菩薩特別敬仰。

「文殊師利」的字義，是「妙吉祥」。在藏密儀軌中，文殊師利菩薩以童子相示現，因此文殊師利菩薩又稱為妙吉祥童子。

這本《妙吉祥占卜法》，為藏密甯瑪派（紅教）巖傳導師文殊勝海不敗尊者（Mi pham 'Jam dbyangs rnam rgyal rgya mtsho, 1846-1912）所造。因為用文殊師利菩薩的咒語來編成三十六卦，且用咒語的咒字來占卜，因此便名之為《妙吉祥占卜法》。近年由言 Jay Goldberg 譯成英文出版，且由薩迦法王賜序。今據之繙為中文，略加編次，以備漢地行者使用。

不敗尊者在密宗中是奇才異能之士。他稱為巖傳導師，實際上卻未取出過巖藏的密法。人稱之為「巖傳」，只是因為一切密法自其心意中流出，有如從巖藏取出，故稱為「意巖」。

意思是說，其心意所出即如巖藏的無上密法。這本《妙吉祥占卜法》，亦屬於「意巖」之一，甚為甯瑪派及薩迦派（花教）推崇，認為有如文殊師利菩薩的法典。

尊者生於藏東，雖習甯瑪派法，卻精通紅花白黃四大派法典，生平著述甚多，於內外五明無不通達，於外明中，尤以建築及占星最為馳譽。至於其註釋佛典及密續，更為近代密乘人士奉為圭臬。

對於這占卜法，筆者有一次親身的體驗。

十餘年前，甯瑪派法王敦珠甯波車（Dudjom Rinpoche）第二次來港，筆者前往謁見，曾請法王占卜，看一筆數目相當大的貨款，在台灣是否能夠收回。法王慈悲，立刻應允。他便拿起唸珠，唸誦文殊師利菩薩的真言，然後靜默一會，隨即捏着唸珠的一段，再六粒六粒的數，看餘下多少數目。這樣做過兩次之後，便對筆者說，貨款是收不回來的了。

接着，敦珠法王又說，他用的是文殊師利的占卜法。筆者表示對這占卜法很有興趣。法王便說：「你對術數的興趣太大，密宗也須要一點術數，而且密宗許多術數，例如占星與風水，來源都在中國，所以你懂點術數亦很好。」

筆者當時很想請法王傳授這種占卜法，誰知法王彷彿已知筆者的心意，他說道：「將來你一定有機緣學懂這種占卜法。其實很簡單，你們的《易經》比起來要複雜得多。」

的確，用《易經》占卜要比本書占法複雜得多，然而二者卻實在體系不同。《易經》用的陰陽、卦爻，有它自己的一套法則；至於本書的占法，則完全靠占者的「觀想」，亦即靠占者的修持。

「觀想」，是西藏密宗修持的基礎工夫，觀本尊，觀壇城，為入門必須經歷的階段。其實所謂「觀想」，普通人也完全可以做到，有些戲迷，一閉上眼睛就可以見到自己崇拜的偶像，這便即是「觀想」了。

用本書占卜，須要觀想文殊師利菩薩，下文，我們會將觀想法逐步介紹。讀者稍為用心，即可修習成功。其實修習觀想，還等如大腦皮質得到休息，即使不為了占卜，對精神修養以及養生亦有一定的裨益。

觀想文殊師利菩薩

密乘修文殊師利菩薩的法，有許多種顏色的身，如白文殊、黃文殊、黑文殊、紅文殊等等。本法所修為黃文殊。

作本法的觀想，可以觀自己成為文殊師利菩薩，亦可以觀菩薩在自己對面。前者稱為「自生」，後者稱為「對生」。

我們不準備談「自生」，因為這種修法，須要有一定的修密基礎。而學過密宗修持的人，根本不需筆者指導。不如專談「對生」，以便讀者修習。

修習時須先觀空，即精神再不注及周圍的環境，盡量把面前環境觀成虛空。

於虛空中，平着自己的視線，生起一朵千瓣蓮花，蓮花上，生起一個月輪。蓮花青色，月輪白色。

在月輪上，生起一個文殊師利菩薩的種子字——ཌྷཱིཿ

這個字，唸 D 音（ḍhi）。觀想此種子字黃色；然而卻不是檸檬黃色，最好略帶橙色。

觀想此種子字放光，變成文殊師利菩薩。

把文殊師利菩薩，觀成兩尺左右高。

菩薩一面二臂，身黃色（如種子字的色）。

他頭戴五佛冠。通身嚴飾，如花鬘、臂環、手釧、足鐲等。三串瓔珞，第一串繞頸，第二串繞胸，第三串繞臍。

菩薩結跏趺座，坐於月輪上。背後有一個紅色日輪。他穿綢裙，身披綵帶。呈現十六歲童子相。

菩薩右手持劍，劍尖噴射智慧火。左手拈着一朵烏巴拉花。花上有《般若經卷》。「般若」即是智慧。

在菩薩心輪，放射出一道明亮的黃光，照射着修習者的心輪，於是修習者亦有黃光在心輪旋轉。

依上述一步步觀想，並不困難。專心練習十次八次，至少便可以生起一個菩薩的輪廓。最要緊的是，應該將菩薩心輪放的光，觀想得清晰明亮，愈明亮愈好。

當觀想初步已有成績，便可以持文殊師利菩薩的咒，咒文是——

ཨོཾ་ ཨ་ ར་ པ་ ཙ་ ན་ ཌྷཱིཿ

Oṃ Ah Ra Pa Tsa Na Ḍhi

咒文中，「Ah Ra Pa Tsa Na」五字，分別代表五方佛，「Ḍhi」字如上述，為文殊師利菩薩的種子字。其餘表義，下文將予詳述。

菩薩的咒文，唸得愈多愈好，唸時觀想對生菩薩的心輪，放射強烈明亮黃光。隨着咒音，心輪緩慢旋轉，黃光即於旋轉時放射。

如是觀想練習，以及持畢相當多的咒（例如二十一次，最好唸足一串珠），即可開始占卜。但以後仍須持咒以及練習觀想，至少不能一曝十寒。

占卜的方法

當占卜時，先作觀想，對生文殊師利菩薩的心輪，放射黃光尤須明顯。此時即合掌唸誦下述的祈禱文——

大智妙吉祥童子
智眼三時無障礙
皈依三寶三根本
心有疑惑祈開示

頌文中的「三時」，是指過去、現在與未來。因能無礙洞察三時，故即能知事物的因果成敗，由是作出預示。

「三寶」指佛、法、僧。在西藏密宗，「僧」並不指出家人，而是泛指修習佛法的行人。「三根本」指根本上師、根本本尊、根本空行。未經密宗上師傳法灌頂的人，雖無此「三根本」，但只皈依三寶亦可。

依西藏密宗的傳統占卜法，占卜工具是用骰子，這顆骰子六面刻上咒文中的六個字，即是——

ཨ་	ར་	པ་	ཙ་	ན་	ཌྷཱིཿ
Ah	Ra	Pa	Tsa	Na	Ḍhi
1	2	3	4	5	6

六個咒字的位置，亦如普通骰子，即第一個字跟第六個字兩面相對；第二個字跟第五個字相對；第三個字跟第四個字相對。

於唸祈禱頌文時，雙掌合什，觀想文殊師利菩薩心輪放光，照射這顆骰子。

如果有搖骰子的容器，於唸畢頌文後，可隨手將骰子投入容器，否則，雙掌依然合什，將骰子放在兩掌心，然後唸咒，至少二十一遍。仍然觀想菩薩心輪黃光照射骰子。

唸咒時，心想着要占卜的事，問題只限一個。例如問病，你可以問——

病情會否好轉抑或惡化？

醫生是否適合？

醫療方法是否適合？（例如是否應聽從醫生的吩咐動手術之類）......

但卻不宜把上面的問題作一次來問，應該把問題逐一分開。

於唸完文殊師利菩薩真言後，心中仍然想着要問的事，繼續唸下面的《因緣咒》——

ཨོཾ་ཡེ་དྷརྨཱ་ཧེ་ཏུ་པྲ་བྷཱ་ཝཱ་ཧེ་ཏུནྟེ་ཥཱནྟ་ཐཱ་ག་ཏོ་ཧྱ་ཝ་དཏྟེ་

ཥཱཉྩ་ཡོ་ནི་རོ་དྷ་ཨེ་ཝཾ་ཝཱ་དཱི་མ་ཧཱ་ཤྲ་མ་ཎཿསྭཱ་ཧཱ།

- oṃ ye dharmā hetu prabhāvā hetuṃ teṣāṃ tathāgataḥ hyavadat teṣāṃ ca yo nirodha evaṃ vādī mahāśramaṇaḥ svāhā

此咒亦可改為下面的頌文 ——

諸法因緣生
法亦因緣滅
是諸法因緣
佛大沙門說

頌文的意思，是說一切法（事物與現象）皆依因緣生滅，緣具則生，緣盡則滅，是之謂「緣起」。譬如種樹，有陽光雨露便能發芽開花。陽光雨露便是花的緣，若無陽光雨露，是為緣不具，因此亦決不開花。我們的一切占問，其實亦是如此，無非是問一事物或現象的因緣而已。

唸誦完畢，可想着所問的事，搖動容器，至心意產生停止的念頭時，立即停止，然後看搖出哪一個咒字。

如果沒有容器，則可虔誠地將骰子拋擲，看擲出哪一個咒字。

一次完畢，可立即繼續第二次，不須重複唸咒及頌文，然而必須仍然觀想菩薩的心輪黃光，依然照射着骰子。

兩次完畢，即可查閱得出來的占卜答案。

假如沒有特備骰子，用普通骰子亦可，但必須用未賭博過的新骰子。這時，可依數碼找出相應的咒字。

用其他工具占卜

除了依照傳統方法，用骰子占卜之外，還可以用權宜辦法，以其他工具占卜。

例如前文說過的故事，敦珠甯波車的占卜是用唸珠。即是一心觀想文殊師利菩薩放光照射唸珠，心中想着要占問的問題，然後以「珠頭」（葫蘆頭）為中心點，隨手捏着一段唸珠，向着珠頭六粒六粒地數，看唸珠剩下多少餘數，如果剩下一顆，即是 Ah 字；剩下兩顆，即是 Ra 字...... 餘此類推。

如果數過兩次，即得出兩個咒字，即是得出一卦。

若普通人沒有唸珠，便可用「米占法」。占時面前放着一碗白米，觀想唸咒如前述，然後一邊想着心中要問的事，一邊觀想文殊師利菩薩心輪放光，照射着白米，於是隨手取出一撮米粒，六粒六粒地數，看餘數是多少。

如是重複，共占兩次，便得到一卦。

用這個方法占卜有一個缺點，那便是會拈到半截米粒，屆時不知算數好還是不算數好。因此事先最好將米略為挑選。

比較理想的工具，是用未下過棋的圍棋子。是則以只用白子為佳，因為用黑子或黑白兼用，往往會妨礙觀想，特別是不容易觀成黃光。

為了方便起見，亦可用所附的三十六張紙卡來占卜。占者一邊唸誦一邊洗牌，然後隨手抽出一張，即得所占之卦。

占卜的法則

用本法占卜，須知道一些法則：

（1）每卦（即搖骰子兩次）只問一個問題。

（2）對重大問題的占問，可以覆卦。即是於占得一卦之後，再想着同樣的問題再占一卦。

甲、如果兩次得出的卦相同，答案便很肯定。

乙、如果兩卦的咒字恰好顛倒，如第一次擲得 Ah、Ra，第二次卻擲得 Ra、Ah，那麼，答案便未必正確，應該重新觀想、持咒，然後再行占問。

丙、如果得出兩卦不同，而吉凶卻相同，那麼吉凶即可肯定。再參詳第二卦的解釋，補充第一卦解釋的細節。

丁、如果得出兩卦不同，而吉凶亦互異，則第一卦的答案可能未必正確，亦應重新占問。

（3）有些問題，可以分正反兩面分別占問。例如打官司，你可以先占自己是否得勝，然後再占對方是否得勝。兩卦參詳，往往可得出正確的答案，如兩敗俱傷、訟事和解之類。

（4）牽涉及多人的問題，可以逐一觀想着每個人的面貌來占問。例如事件牽涉到一家公司，這公司有三位人員牽涉入事件，便可以分三次來問他們的各別態度，看誰人對自己有利，誰人會成為阻力。

（5）對於違法的事、不合理的事，不宜占問。例如不能問走私是否成功。

（6）屬於賭博或遊戲性質的事，不宜占問。例如不能問賽馬、打麻雀之類的勝負。

（7）有些問題，可以分時間重複占問。例如問旅行的運程，占得目下不吉，可以再占下一個月份如何。又如占生意，占得目下吉利，可以再占發展下去如何。

（8）凡占卜，必須心平氣和，且不預先心中想着答案，否則即不準確。

（9）於重新占卜時，最好先休息一下，然後唸文殊師利菩薩真言，待情緒平定，患得患失之心減少，始作重新占問。

（10）不可懷着仇恨心、報復心等來占卜，須知一切事件皆關乎業力，故無論吉凶，都應心平氣和另想辦法，倘生執着，則重複占問亦皆不準確。

推斷方法

占得一卦之後，可以查閱本書所載的三十六卦解。檢閱方法很簡單，如占得 Ah Ah，即可查該條，亦即查閱 11。又如占得 Na Pa，即可查閱 53......

每一卦解，先給出一個卦象。如為「無雲晴空」之類。由此卦象，即大致可知所占的事之吉凶休咎。

每一卦象，本書皆附有解釋，說明其所象徵的意義。占者對此須加以注意，因為有時其喻意可能跟自己的理解不同。

例如「無雲晴空」，一般人的理解，可能是明朗、光明，但依本書解釋，卻為「空性」。此為佛學名詞，筆者碰到這種情形，每隨文予以詮釋，以便讀者理解。

卦象之後，會給出一個簡單的訊號。這個訊號等於推斷一卦的綱領。有時這些訊號與密宗有關，一般人不易理解，例如「龍神的尾」之類，不知者很難明其寓義，筆者亦已予以一一說明。

訊號之後是各項具體占斷。原書依西藏環境訂定，有許多地方不適合現代漢人的社會，例如放牧牛羊、修法利弊等，與我們的關係已經很小，筆者為此已作改訂，俾使適合讀者。

於改訂前，筆者修了三堂《黃文殊法》，修了一堂「上師法」，得到的徵兆都很好。由於本書原作者不敗尊者密彭法王是筆者上三代的上師，所以筆者特別注意所修的那堂「上師法」。修法時點在護法壇前的黑香，香灰結出一個「無盡結」，這應當是很好的徵兆，可能象徵本書的占卜法能夠廣傳出去，而且流傳久遠。—— 老實說，如果為了私利，筆者實在沒有改編本書的必要，不如專用，更易謀利。如今只是為了使此適合世俗的密法能在漢土弘傳，若有人因沾此密乘法雨而蒙利益，進一步能認識密法，甚而修持密法，那便已達到改編本書的目的。

改訂之後，具體占斷項目共有十二項，茲分別予以說明如後 ——

家宅：關於家庭的運氣，亦包括家族產業的變化增損，以及人口是否平安，尤其是占者自己的平安等等。有時亦包括添損人丁的示義。

財富：個人財富的增損，生意是否興隆。然而本項只作一般性指示。如果有一特別目的（例如某項生意洽談是否成功），則應參考「謀望」或「請託」條的解釋。

謀望：關於事業、行止之類的目的與願望，看是否能夠如願。（例如移民是否吉利，即屬於行止方面的謀望；能否考入某家學校，亦屬於此類。）

人事：主要為有關事業、財富方面的人事關係。若其他人事關係，須參考「請託」條。

仇怨：指出你在各方面可能遇到的敵人，有時亦包括官非，以及是非等等。

行人：占問行人是否平安，甚麼時候可以回家等等。

疾病：關於健康情況。最好自己占問，或直接請人問，如託人代找占者問卦，準確度可能較差。如病人患重病，則可由其直系親屬問卦。

魔祟：這一項很有宗教色彩。當遇事不順，或疾病延綿之際，作此項占問，看是否受到魔鬼侵擾。因此亦包括住宅或辦公室的風水是否適合。然而卻須注意，除非專問此條，否則於問其他項目時，不可受此條影響解釋。例如問病，即無須兼視此條，否則容易誤會疾病由魔祟而生。

失物：占問失物是否能夠找回，在甚麼地方找回。

請託；與人洽談，是否能達到自己的目的，是否有人支持自己。

婚姻：包括已婚者的婚姻狀況，以及未婚者的婚姻願望。

其他：本條作出一般性推斷，凡未包含在上述項目的占問，均可依本條找尋答案。

六個咒字的表義

Ah、Ra、Pa、Tsa、Na、Ḍhi 六個咒字，除了兩個咒字組成一卦，給出占斷之外，每個咒字還各自另有表義，在占斷時應該參考。

（1）基本表義

Ah：統攝息災、增益、懷愛、誅滅四種力量。因此，這個咒字可以說是一般性的。然而正由於此，所以單獨這個咒字，給出的意義只具普遍性，並不明確。

Ra：表義為降服。如果一卦的第一字為此咒字，表示自己有力量降服對方；如果第二字為此咒字，則表示自己可能向對方讓步。

Pa：表義為息災。因此可引伸為寧靜、和平之類。在一卦第一個字，表示自己的災難困擾平息；在第二個字，則表示對方寧靜。因此，假如代人問病，占得Pa為第二字，這便表示疾病可能纏綿（寧靜即是不動，故引伸為纏綿）。

Tsa：表義為動亂與破壞。它跟Ra字，都屬於「降服」的範圍，但動靜程度不同。在一卦第一個字，表示自己心情不安、事業有危機等；在第二個字，卻表示對方有危機，但亦可能表示對方不合作，具破壞力。

Na：表義為增益。在一卦的第一字，表示自己增益，如利益增加，在爭執中得益等等。在第二個字，則利益可能在對方。

Ḍhi：表義為懷愛。在一卦第一字，表示自己受人尊敬，得人賞識，人緣好等等。在第二字，則對方比自己得人緣，或須依賴對方。

（2）**六塵**

Ah：虛空。引伸為佛家的「空性」。

Ra：火。引伸為熱，為動力，為乾燥。

Pa：水。引伸為冷，為反省，為潤濕。

Tsa：風。引伸為亂，為動，為氣。

Na：地。引伸為堅硬，為生育。

Ḍhi：識。引伸為超自然的力量，如神鬼。

（3）**六根**

Ah：耳。引伸為謠言、傳說。

Ra：眼。引伸為觀察、目擊。

Pa：舌。引伸為口舌、是非。

Tsa：身。引伸為直接接觸。

Na：鼻。引伸為間接接觸。

Ḍhi：意。引伸為思慮。

（4）**六識**

Ah：聽覺，即耳識。

Ra：視覺，即眼識。

Pa：味覺，即舌識。

Tsa：觸覺，即身識。

Na：嗅覺，即鼻識。

Ḍhi：思維，即意識。

（5）**方位**

Ah：統攝五方。

Ra：西方。

Pa：南方。

Tsa：北方。

Na：東方。

Ḍhi：中央。

（6）**佛部**

Ah：中央佛部，毘盧遮那佛。

Ra：西方蓮花部，阿彌陀佛。

Pa：南方寶部，寶生佛。

Tsa：北方事業部，不空成就佛。

Na：東方金剛部，不動佛。

Ḍhi：中央忿怒尊，如大威德金剛等。

（7）**顏色**

Ah：統攝一切色，如虹光。

Ra：紅色。

Pa：黃色。

Tsa：綠色。

Na：白色。

Ḍhi：藍色。

（8）**器官**

Ah：肺部、呼吸器官、大腸。

Ra：心臟、循環器官、小腸。

Pa：腎臟、泌尿系統、生殖系統。

Tsa：肝臟。

Na：脾臟、膽、胃。

Ḍhi：精、卵。

（9）**形狀**

Ah：無固定形態。

Ra：三角形。

Pa：圓形。

Tsa：橢圓形、半圓形。

Na：正方形、長方形。

Ḍhi：各形態之複合。

（10）**三界**

Ah：天界。

Ra：人界。

Pa：地界。

Tsa：人界。

Na：地界。

Ḍhi：天界（特別指阿修羅界）。

（11）**性別**

Ah：統攝兩性。

Ra：陽性。

Pa：陰性。

Tsa：陽性。

Na：陰性。

Ḍhi：中性（無男女性分別的事物）。

（12）**智慧**

Ah：法界體性智。

Ra：妙觀察智。

Pa：平等性智。

Tsa：成所作智。

Na：大圓鏡智。

Ḍhi：金剛智。

占卜者除了參考每卦占斷外，若能參考咒字的表義，往往更能瞭解多一點細節。例如交涉的對象態度如何，其人為男為女；又如會議場合中，穿甚麼顏色衣服的人對事件有幫忙，諸如此類，若能神乎其明，往往可得到令人吃驚的答案。故研習本書的占法，不宜忽略咒字表義。

須知緣起與空性

西藏密宗有許多占卜術，除此之外，還有觀察命運的星占學、選擇位置及方向的風水學。這些術數的源頭，有一部份來自中國，有一部份來自印度，甚至有一部份來自波斯。這些文化匯集到西藏之後，藏人加上自己的文化，因此便成為具有西藏特色的術數。

藏密修行人學習這些術數，是基於菩提心出發，為他人消除心理上的困擾，因此，一切術數都排斥宿命。

宿命論者認為一切命定，無可逃避；而西藏密宗則不然，認為一切事物與現象的生滅，都基於因果。雖然有因必有果，但我們卻可以改變事件的因。

因有如種子，種子要種在土地，然後才會結果，如果我們根本不去下種，那麼，雖然有因，亦可以避免結成熟果。

即使下種了，如果不去施肥，不去灌溉，種子亦不可能結果。

有時候，種子明明會結成苦果，如果我們能加以其他的因，例如接枝，例如施特種農藥，往往亦能使苦果變甜。

占卜的意義，即在於此。占得苦果的人，可以審慎思維，自我反省，祈禱懺悔，由是改變一些做法，便往往可以改變事情的結局。所謂一念是天堂，一念是地獄，禍福的因緣往往繫於一念。

若占得甜果，也不應沾沾自喜，應該明白，今天之所得，是基於宿生以來所作的種種因，是則今天之所作，亦將成為他生所受的因。能這樣想，就不會因一吉占而不顧及他人，妄作非為。

所以占卜的人須知緣起及空性。

所謂緣起，即指一切事物都藉因緣和合而生，用現代語言來說，即一切事物都藉各種客觀條件而存在。當客觀條件齊備時，事物生起；客觀條件改變，事物亦因而改變；若客觀條件不具足，則事物便亦消滅。

當占卜時，我們要唸《因緣咒》，或《因緣頌》，就是為了要瞭解緣起——

諸法因緣生
法亦因緣滅

能瞭解緣起，便知世間無所謂永恆的事物。人決定要死，財富決定要消失，這樣，對占卜的結果便能曠達，無論吉凶都不致耿耿於懷。

可是這樣說，亦不等於將人生引導向悲觀消極。這就須要簡單談一談「空性」了。

性，指事物現象的本質；空性，即謂一切事物與現象的本質皆空。

然而所謂空，決非謂其沒有，只是說其非實。即認為一切事物及現象的本質都不真實。

為甚麼不真實呢？

因為凡依靠客觀條件而存在的事物或現象，都沒有自己獨特的存在、永恆不變的本質，是故謂之為不真實。如雲飄散於虛空，雲無非只是水氣與風之示現，所以沒有「雲」這種本質，既不能謂其為水氣，亦不能謂其為風。

可是一切事物或現象，卻有一真實的性質，那便是事物現象的功能。

例如雲騰致雨，那便是雲的功能。

因此雖然沒「雲」這本質，但「雲」的功用卻宛然真實，無可懷疑。

能理解上述的道理，便已知道佛家的所謂「空性」，並非對一切事物現象作否定，其所否定的，只是執空為有的態度，亦即認定事物現象皆有自成自存、不變本質的概念。

否定這不正確的概念很重要，因為佛家最反對「執着」，無論對自我執着，抑或對一切事物、現象以至理論執着，都會成為輪迴的因。所以在占卜時，同樣不能對一切產生執着。占卜所得出來的預示，無非只是一段因緣的預示，因緣若有改變，結局便亦會改變，是故得吉占者不可得意洋洋，妄為妄作，否則會自招失敗；而得凶占者，亦可以修身自省，發心懺悔，由於言行的改變，往往可以挽回敗局，或於千鈞一髮關頭轉危為安。

願此密乘法雨能沾溉眾生，令能離苦得樂，並令信者由知緣起性空，得趨佛道。

下編　占卜正行

下編 占卜正行

三十六卦象

三十六卦解

頂禮十方諸佛諸菩薩
頂禮甘露大海密乘法
頂禮護持密法諸聖眾
頂禮大智妙吉祥孺童

ཨ་ཨ་（Ah Ah 11）

卦象：無雲晴空

晴空無雲而呈現
來問卦者須靜聽
晴空清淨無污染
汝心清淨應如是

訊號：三倍虛空之聲

虛空傳聲，聲雖小亦傳聲大。來問卦者，處事必須鎮定，若稍張惶，則小事可擴成大事，反難處理。若能除患得患失之心，公平處事，則必獲吉祥，雖禍成福。

占斷：

家宅

合家平安，財富與生命都無損害。然此占僅主家庭快樂，並不主增添人口。

財富

財富平穩，如常發展，唯前途並不樂觀。若求暴利，則反主傾敗。亦不宜持機心經營，一切以自然而然為佳。若遇競爭，應以平常心處事。是故此占僅宜檢討舊業，尤其不利投機。

謀望

凡事處之泰然，如理做去，則自然能無障礙，達到目的。

此占最利於消災解難，有否極泰來之象，故凡一切凶問皆有轉機。

若所求謀帶有機心，則卦象不吉，如晴空忽為雲掩，於是障礙亦必叢生矣。

人事

縱然目前人事關係好，亦易迅速改變，故處事宜把握時機。

可備鮮花供養，誦《般若心經》，祈禱人事改變仍然對自己無損。此經說般若空性，能令人以平常心處事。能以平常心對待一切改變，不諂不懼，則可獲吉祥。

仇怨

能以平常心待人處事，則無仇怨。

是非宜平息，詞訟宜和解。

行人

行人平安，旅途快樂。

行人將如期抵達，訊息將如期而至。

疾病

病人即將康復。注意療養。

不宜動大手術。

魔崇

無魔無崇，非鬼神禁咒。

風水可依常理安排，以能令陽光入宅即佳。不必多作特別擺設。

失物

失物在遺失處不遠，可以尋回。若不知在何處遺失，則無法尋獲。

請託

有所請託，人若答允，亦必動作遲慢，不會立即着手幫忙。若不答允，可假以時日再行請託。

婚姻

未婚者，緣至自得佳偶。

已婚者，不可存任何改變之心。如配偶已有外遇，可如常理解決，或處之泰然，反有良好結局。

其他

無雲晴空代表空性，即事物皆無本質，一切皆因緣和合而成。能明此理，則得失亦不縈懷，亦無僥倖心、機巧心。能如是泰然處事，則可轉禍為福，持盈保泰。

本占利於問凶事解散，若問積極求謀，成敗之機各佔其半耳。

藏密信徒可多唸《百字明》，向金剛薩埵祈禱。

佛教徒可多唸《般若心經》或《摩訶般若波羅密多經》。

一般占問意義，為「得大無畏」。故占者可放心進行，無須患得患失。

ཨ་ར་（Ah Ra 12）

卦象：大日光輝

大日如來光輝現
一切暗處盡光明
問者憂愁都散盡
存心光明即滿願

訊號：清淨無染之境

大日如來為報身佛，稱為「大日」，以其所示佛法有如日光，所照處即能破暗，能除六道有情一切無明。故來問卦者若持清淨心，光明磊落，則必吉祥。一切凶事解散，一切吉事成就。但若光地不光明，行為不正直，則自身反受其禍。蓋如大日光輝破暗，不擇自他，自身若暗，亦為日光所破。

占斷：

家宅

諸般不祥皆能解散，人口平安。若多年未生育者，有添男之喜。

財富

多作善行，財富自能增加。

以前因受阻力不能得到的財富，如今阻力漸告消除。

利除舊更新，故可開展新猷。

謀望

像用一個煩惱的網，網着自己，是故以前諸般不順，若能剪破網絡，則一切事情都會好轉。這個煩惱的網，包括心理與現實，二者你都能剪除。

不好的人際關係可以轉好。

人事

適宜化敵為友。只須你有誠意，對方一定樂意。

得有力者的助力。

閃光的東西，如水晶、寶石之類，以及紅色的東西，可以略為幫助你改善人事關係。你可以佩戴這些東西，或用來送禮。

仇怨

無仇怨困擾。

是非詞訟皆得直。

行人

行人平安。信息即至。

你不久即可得到行人的確實信息，信息相當吉祥。

疾病

疾病即告痊癒，尤其是傳染病。

宜動手術。

慢性病亦易復元。

魔祟

無魔祟困擾。

風水自然改善。或須除去一些遮蔽陽光的事物。

失物

往失物地點的西南方去找。

有人會告知你失物的信息。

請託

有所請託皆能如意。

從前不答允你請託的人，如今肯答允。

婚姻

未婚者得佳偶。尤利於解除婚姻途中的困難。

已婚者享受美滿姻緣。

其他

本卦利於一般性占問，特別利於解除困擾，破除困阻。

唯有關土地、房屋的占問，以及作支持用的事物（如桌子之類），其占皆稍不利。

藏密信徒可多唸《文殊咒》，並奉獻牛油燈、祈禱旗。

佛教徒可唸《般若心經》祈禱，且宜祭地神。

一般占問意義，為「遠離黑暗」。是故利於消災解困。

ཨ་པ་（Ah Pa 13）

卦象：月甘露光

月色湛涼如甘露
洗滌塵心歸平靜
來占問者作善行
即能安享諸福報

訊號：無障礙之願力

諸佛菩薩之加持力，其實即是眾生之願力，有清淨願，且具信心，即能得加持。然眾生發願時雖清淨，唯一遭障礙，即易轉為不淨，蓋貪瞋癡三毒隨即生起。

月甘露光清涼，能除三毒熱苦，使人願力轉為清淨，由是即無障礙。故發願不淨者，應反躬自省，知緣起性空，由是即能得諸佛菩薩加持，願力圓滿，享一切福報。

占斷：

家宅

修沐浴法、除障法，則家宅能增添人口。修沐浴法者，於沐浴時可觀想所用以沐浴之水，得諸佛菩薩放光清淨。未修密法的人，於觀想時可誦《文殊菩薩真言》，即「Oṃ Ah Ra Pa Tsa Na Ḍhi」二十一遍。

修除障法者，以金剛薩埵為本尊最佳，修其他本尊亦可。若未修密法者，但合什向諸佛菩薩祈禱，懺悔夙生以來所犯一切惡業。觀想得甘露光明加持。

家宅人口平安。藉除障力，諸般口舌，得以消除。六甲生女。

財富

藉除障力，財富得以增加。

此占利於慢進，不宜急劇行動。

凡有競爭，競爭力可自然消除。

謀望

達到目的，無有障礙。

已生障礙，自然消除。若企圖用大力者干涉，或採取過激行動，反而不利，自找麻煩。

人事

順其自然，人際關係即可完美。

如發生人事上惡劣關係，可用白花、淨水、白色食品在諸佛菩薩前祈禱。

不宜用權力或財力影響別人，企圖令人幫助自己。

仇怨

無有仇怨加害。詞訟可解。

行人

行人及信息剋日即至。

疾病

感冒及腸胃病等，剋日即癒。

不宜動手術。

病獲良醫。

魔祟

無魔祟鬼神侵擾。

風水利正南或正北方開門開路。

失物

若託婦人向失物南方或北方找尋，即可得回。

婦人帶來喜訊。

請託

請託如願。尤利於向婦人請託。

請託態度宜溫和，不可向對方施壓力。

婚姻

未婚者可獲對方同情。

已婚者婚姻關係良好。

若占問受第三者困擾，宜開誠布公處理。

其他

一般而言，本占利於占問不須用暴力或劇烈手段解決的事。

有婦人牽涉，或婦人居間介紹的事，必可得成功，結局滿意。

若有大不利事件，宜向喇嘛求甘露加持，即可減少損失或減輕刑責。

密宗信徒宜行白度母祈禱。亦可拜祀龍神、行沐浴儀、修除障法、修上師法。

佛教徒宜頂禮寶生佛。

一般意義為「吉祥雲聚集」。

ཨ་ཙ (Ah Tsa 14)

卦象：明星閃耀

空際星光極明亮
來占問者獲吉祥
唯須恆心與耐心
所求倉卒難成辦

訊號：圓滿聚合，無有散離

此訊號顯示一切圓滿，未得者可得，已得者不失，實為吉占也。

然而一切事物之聚散，實由因緣決定，故占者不可心急，若小心從事，加以恆心，則因緣自能成熟。蓋此占依賴他力，或依賴客觀條件，多於依賴自力及主觀努力，因此必須靜候時機成熟。

占斷：

家宅

懸掛祈禱旗，焚香祈禱，家宅運程即得好轉。可免吵鬧口舌，亦無疾病。

六甲生女。

（按，祈禱旗為紅藍綠白黃五色彩旗，其上印有祈禱文，成串懸於宅前或屋頂。）

財富

財富增添。

可獲木器、牲畜、綠色絲布之類禮物。

時機成熟，有新的財源。

謀望

關於旅行、出門經商之類的運程，甚為吉祥，可喜出望外。

唯靜態之求謀，則有阻滯。因本占宜動不宜靜也。

人事

有好消息到。

有有利的書信文件到。由書信文件，可得極大助力。

一般而言，人事關係良好，唯須採取主動，且不宜輾轉託人。

仇怨

無仇怨侵害。

訟事可勝，是非得直。

行人

行人及信息馬上抵達。

遠方行人旅途愉快。

疾病

有氣痛病，或精神困擾不安。然而此等並非重病，休養即可康復。

宜祭祀祖先。

可動手術，定卜平安。

慢性病則提防肝臟。

魔祟

雖無鬼神作祟，但自身情緒不安，疑心便生暗鬼，宜心情平安，振作精神。

風水東方有缺點。或有樹木、旗桿、燈柱之類居於不宜方向。可掛紅色祈禱旗，或咒輪禳解。

（按，密宗有諸般咒輪，於布幅上印上各種本尊咒文，作祈禱或禳解用。）

失物

物件雖已為人取去，但若能迅速尋找，仍可物歸原主。找尋方向，為失物地點之北方或東方。

請託

凡有請託，皆能成就。唯切戒盛氣凌人，否則徒招失敗。

婚姻

未婚者採取主動即能滿願。

已婚者婚姻關係良好。即有第三者，亦能於短期內離開。

其他

凡有占問，皆有成功希望。

唯問及與水有關的事情，則稍有阻滯，如不宜乘郵輪遠行等。

密宗信徒可修綠度母法，及盡量多掛護法祈禱旗。

佛教信徒可唸《佛本生經》，以及向釋迦佛祈禱。

一般意義為：「風力增強。」故所占宜動不宜靜。

ཨ་ན་（Ah Na 15）

卦象：黃金大地

滿地黃金
卦象可喜
來占此卦
唯不宜動

訊號：卦意難猜，答案未定

本卦僅利於占問長遠性、固定性的事，不宜占問短暫性、流動性的事。蓋黃金大地，利益在於土地，故宜靜不宜動也。占者唯於此着意，即可得要旨矣。

占斷：

家宅

人口穩定，家宅和美。

不主增添人口。不利遷徙。

財富

財富平穩，以守舊業為佳，不利創新改變更張。尤不利與人合作創業。

投機大為不利。

宜置恆產。

謀望

有固定目標，長期計劃則吉。若把持不定，則計劃易流產。

若遇障礙，費時解決。

人事

長遠而言，人事關係佳，唯須費時建立。短期內缺乏助力。宜修懷愛法加以改善。不宜濫用財物交際。

仇怨

無仇怨侵擾。然易產生誤會。

是非詞訟延綿，暫時難於解散。

宜修降伏法消除誤會。或用甘露水沐浴。

行人

行人平安，但有阻滯。

信息延遲抵埗。

疾病

主痰症，即呼吸器官疾患。症狀雖不重，但纏綿難癒。

宜懸掛多面祈禱旗及「摩尼轉」，任風吹揚轉動。（按，摩尼轉為密宗法器，圓筒形，內藏咒文，一般為觀世音菩薩的「六字大明」，信徒一邊誦咒，一邊轉動摩尼轉，可增加持咒力量，亦可懸於屋外，有如風鈴。）

魔祟

無魔祟，亦無鬼神咒詛。

但風水不佳。居室所在處，地與水的位置不適合，應予調整。如改變大門方向、安床位置等。亦可掛咒輪禳解。

失物

由家人在家內尋得。

或由失物處之東方尋回。

須立刻尋找，遲則難以尋獲。

請託

請託費時，然始終可得助力。

對於請託事，不可過分存有幻想。

婚姻

未婚者費時追求。

已婚者關係穩定，但配偶缺乏情趣。

有第三者時，難於短期內解決。

其他

迅速行動，則事情容易解決，若曠日持久，則易失事機。

對於信息之類，主阻滯遲慢。

旅行有麻煩。

宜向釋迦佛及寶生佛祈禱。

一般意義為：「牢牢立足，基礎便得穩固。」所以宜靜不宜動。

ཨ་དྷཱིཿ（Ah Ḍhi 16）

卦象：金剛聲音

得聞金剛聲音
占者生大喜悅
一切消息吉祥
聞者心花怒放

訊號：自本尊心，增益智慧

本尊具菩提心，大悲大智雙運。由大悲故，發願度眾生；由大智故，知諸法空性。是故能由本尊菩提心開發一己之智慧，實屬吉占。

占者宜研習佛家經論，以及研習科學與藝術。最宜研習建築。

占斷：

家宅

人口平安，無災無難，和和氣氣。

增添人口，六甲生男。

如修長壽佛母儀軌，或掛十一面觀音咒輪，則更吉祥。

財富

財富順利增益。唯不宜投機。

有機會發展新業務，亦宜與人合作。

於發達時，須注意持盈保泰。

此占尤宜女性占問。男性得此占，最宜與女性合作。

謀望

一切謀望皆能滿願。

人事

人事關係圓滿愉快。

宜藉女性力量。

仇怨

護法庇佑，仇怨不起。宜誦《大悲咒》。

行人

行人信息均剋日抵達。

旅程順利愉快。

疾病

病情轉好。宜誦《大悲咒》。

可動手術。

服湯藥較服丸藥為佳。

魔祟

無魔祟神鬼侵擾。

風水亦佳。

如自己覺得不妥，僅屬心理影響，可修本尊法清淨自心。

失物

宜懸紅找尋。或於近水處尋覓。

亦可僱人尋覓，如僱私家偵探之類。

零碎物件，則仍在原處附近，可細心找尋。

請託

凡有請託，均如所願。有障礙可行修除障法。

尤利向婦人請託。

婚姻

定獲美滿姻緣。

夫妻和順，妻子尤能協助丈夫事業。

其他

諸般作為皆無不如意。若有婦人參與者，尤見順利吉祥。

密宗信徒可修觀音法，或文殊師利法，或金剛手法。並修空行母法。

佛教信徒可奉觀音，懸掛觀音咒輪。

一般意義為：「所為順意，且智慧增加。」

所占動靜皆宜，尤宜與水有關之事，或近水之環境。

ར་ཨ་（Ra Ah 21）

卦象：明燈

若明燈之破黑暗
汝心破暗應如是
縱有愁悶諸苦惱
佛法如燈為照路

訊號：明燈照路，無有風吹

人生於娑婆世界，稱為五濁惡世。此惡世為業風所吹，便多苦惱困擾。人於苦惱中若不知緣起性空之理，便因爭奪心，而更造種種惡業，於是苦果增上。

佛法如明燈，不為業風所吹，且能轉變業力，使眾生離苦得樂。占者得此卦象，定能憂愁盡去。若能為佛法作種種利益有情事業，則更吉祥。

占斷：

家宅

今年運氣亨通。人口平安，且主增添人口，置買新宅。

六甲生男。

財富

財富增加。

打開悶局，事業因改變方針而得利益增長。故宜更新，不宜守舊。

謀望

放膽前行，自能如願。

在困境者，可有機緣得人助力，從而改變目前境狀。然而機緣可能一瞬即逝，故占者務須把握時機。宜行除障法。

此占又主自力更新，故他人僅能給予機會，自己仍須努力，始能成功。

人事

目下人事關係良好。

尤宜男性占問人事，則於兩性中皆能得助力。若女性占問，助力則弱。

仇怨

縱然聽到不利消息，實際上仇怨不會加害於你。

訟事不成。是非易平息。宜行除障法。

行人

即將知悉行人音信。彼在外平安。

信息立即抵達。

疾病

病情恐防轉重。尤其是心臟病、血病之類，病患纏綿難癒。

不宜動大手術，恐生意外。宜誦《大悲咒》。

大小腸疾病則較易康復。

魔崇

無鬼神魔崇侵擾。

目前之困擾，非鬼神魔崇所為，乃基於過去行為業力，然亦無害，占者可誠心懺悔，以甘露水沐浴。

風水良好。唯須注意陽光照射。於黑巷應裝照明，以及懸掛咒輪。

失物

往失物處之西南方尋找。

有人會告知失物之信息。

請託

若能坦誠告知目的，則自能得人諒解，予以助力。

不能期望他人予以周詳計畫，他人僅能敲敲鼓邊，協助成功。

婚姻

主動向對方追求。

已婚者須主動遷就配偶。

有第三者時，應主動約第三者解決。

其他

諸般作為，不生障礙錯誤。

應採取主動，若居被動則不吉。

密宗信徒可修咕嚕咕呢法，或用紅色本尊法祈禱。

佛教信徒宜向阿彌陀佛祈禱。亦可用紅花供養觀音。

一般意義為：「自求多福。」是故不可過分依賴他人。

ར་ར་（Ra Ra 22）

卦象：添油

向佛前燈添酥油
權勢財富皆添加
馬頭金剛壇城顯
占者諸法皆滿願

訊號：為願望之燈，一再添酥油

西藏佛教徒供養諸神，或祈禱許願，皆習慣為酥油燈添油，每添以若干公斤計。此蓋期望得諸佛菩薩加持。

然求加持者，必須持清淨心，所許願亦必須清淨。且須誠心發露，懺除夙生以來所犯一切罪障，然後始能得加持。

本占為馬頭金剛加持。馬頭金剛為觀世音菩薩所化之忿怒身，具大悲心，故占者能滿願得福。

占斷：

家宅

家庭福澤增加。增添人口，六甲生男。

占者氣色好，容光煥發。

財富

能突破困難而增加。

宜修馬頭金剛法。用綠色祈禱旗，亦可用觀音咒輪。

適宜進行新的計畫，稍帶冒險性者亦無妨，尤其是於天然乾燥的物品，或紅色的商品中獲利。

謀望

明確的消息即將到來。

目標確定，即能迅速滿願。

向空行母祈禱，所進行之事可開展，且能有發展目標。亦可向觀音祈禱。

人事

人際關係良好，友情愉快。

若主動接觸，則能將惡劣關係改善。

倘欲化解仇敵，除主動接觸外，尤宜作火供祈禱，亦可修除障法及沐浴法，則自能化敵為友。

仇怨

無仇怨加害。因占者得有力者支持。

若攻擊敵人，不久將有情報抵達，你可從東方及中央發動攻擊，敵人將一舉殲滅，大獲全勝。

官司可獲勝。

行人

行人不久即至。

旅途享受。

信息立即抵達。

疾病

心臟病、血病、傳染病等，須作火供或誦《大悲咒》祈禱痊癒。

其餘疾病，不久即將康復。

從病家的東方找醫生。

適宜動手術。

魔祟

雖無魔祟侵擾，但由於占者工作壓力太大，故心理上似受鬼神困擾，宜修寂靜尊法，如持《六字大明》、《大悲咒》、《文殊師利菩薩真言》等，即可安寧。

風水良好。僅須注意房屋的中央不可紊亂，一旦收拾齊整，即覺精神爽然。可懸掛咒輪於近屋中央的牆壁。

失物

宜從失物處西方或南方尋找。

懸紅即可獲信息。

請託

凡有所請託，立刻成辦。

向女人請託，則稍有留難，但無大害。

婚姻

天配良緣。

第三者自然解散。

其他

一般占問均告吉祥。

唯所占問，若涉及水與土地者，則為不吉之占。此等事有如水塘乾涸，初時不察，日久則見不利。

密宗信徒宜修馬頭金剛法，或誦《大悲咒》。

佛教信徒可禮拜觀世音菩薩。

一般意義為：「歡樂持續增加。」故宜漸進，不宜急進；宜目的持久，不宜短暫目標。

ར་པ་（Ra Pa 23）

卦象：死魔

死魔降臨主失敗
恰如星火遭水濺
一切占問皆無成
所利者唯主破壞

訊號：屠殺死亡與破壞

西藏密宗的死神，守護壇城的外南門。南方為寶生佛剎土，主財富財寶等。財寶之外，守以死神。此壇城佈置饒有深意。所謂「人為財死，鳥為食亡」，此雖漢人諺語，相信各民族都有同一心理。

占斷：

家宅

家宅不安，多是非吵鬧。

人口死亡，或有大障礙，如重病、失業、破財之類。

宜清掃佛壇，整理佛經，並作祈禳。

行「放多瑪」儀式祈禳，宜行甘露沐浴法，或懸掛咒輪正對大門。

財富

生意失敗，財富損失，投機者破敗尤速。

不宜開展新計畫。

賭博則可負巨債。

出門經營，必生意外。宜誦《六字大明》或《大悲咒》。

謀望

凡所謀望，必生阻滯。若勉強為之，則事情變得更壞。不如延遲計劃，暫時不進行，反而更佳。

主婦人阻力，或因婦人主意誤事。

人事

無任何助力。求之反生障礙。

不利跟婦人交涉。

欲求助力，反生是非，於是助力化為阻力，自己更陷困境。

仇怨

有仇怨環伺。急誦《大悲咒》及除障法。

切不可向南方或北方出行，否則即遭仇家所害。

官司失利，是非叢生。

行人

行人旅程不安，行程受阻。

期待的信息不至。

宜修「大白傘蓋法」祈禱。

疾病

病人有極大危險。

患寒疾或器官積水者，難望痊癒。

病者宜修法，誦咒祈禳。尤應速修護法法，祈求保護。

不宜往南方或北方延醫。

動手術後有後遺症。

魔祟

為不潔飲品所害。

誤食深色圓形食品，為人所祟。

因接受一寡婦的財物或首飾而中邪。

自己的衣服與病人衣服混雜，因而傳染得病。

因自毀諾言而招魔祟。

因毀願而遭鬼神責罰。

宜在水邊向龍神祈禳，或修「普巴金剛法」祈禱。

風水不利，有水怪、鬼魂之類作祟。

失物

失物難獲。

於失物南方或北方，可找得失物蹤跡，但亦難以索回。

請託

凡請託都易打錯主意。是故障礙叢生，不能如願。

若仗勢淩人，更反招仇怨。

婚姻

姻緣不美滿。

配偶不和，是非日有。

第三者反客為主。

其他

本占問事，一般皆主障礙與失敗。唯問凶事，如打獵、修合毒藥、拆毀舊屋等破壞性事件，則主成就。（按，修合毒藥乃用以治病，並非用以害人。）

密宗信徒宜修「普巴金剛法」，或供養度母，誦《大悲咒》及掛十一面觀音咒輪。

佛教徒可向觀世音菩薩、地藏菩薩祈禳，誦《大悲咒》及掛十一面觀音咒輪。

一般意義為：「僅宜破壞，不宜建設。」是故利凶事不利吉事。

ར་ཙ（Ra Tsa 24）

卦象：王權

風乘火勢
火仗風威
權力增長
不假求人

訊號：獅虎吼聲，威鎮山嶽

閻曼德迦明妃，為大破壞神。她說：「誰進入我的宮殿，我就給誰以權力。」本占恰有此意。占者權勢自然增長，聲譽及財富的自行增加，有如森林之火，因風而火勢猛烈，令人不敢逼視。

得此占者，須知「諸行無常」，故應持盈保泰，不可恃勢凌人，則自受人愛戴。

占斷：

家宅

由於權勢增長，故無人敢加害。

人口平安，家運興隆。

增添人口，六甲生男。

財富

財富隨權勢而增長。

利競爭以求財。

給人一點便宜，不可趕盡殺絕。

提防左右的人侵吞。

謀望

所謀遂意，縱有小不如意，亦可順利解決，終能如願。

宜修寂靜尊法、懷愛法，使人尊敬自己。

人事

因權勢影響，人事關係良好。

婦人會帶來一點小麻煩。

注意留有餘地，不可恃強壓人。

仇怨

無仇怨敢生事。

占者能鎮懾各方面的仇怨。

宜借助一些力量，從中斡旋，化敵為友。

提防家中的人，或親近自己的人，在外結怨，則有後患，即宜和解。

詞訟得勝。

行人

旅程中得到利益。

行人即來，且帶來利益。

佳音即至。

疾病

病勢雖似轉重，但卻無妨。

宜供養護法，加持病者。亦宜懸掛祈禱旗或咒輪。

宜動手術。

魔崇

由於護法保護，故無魔祟敢加以侵擾。

風水良好。

占者雖供養護法，仍不足夠，必須多加供養，始能獲吉祥。

失物

由勢力得以物歸原主。

請託

向本尊祈請，可得請託成功。

不宜向婦人請託。

不須威逼，但須主動接觸，即能成功。

婚姻

由力量達至成功。

已婚者配偶不和。

第三者自行離開。

其他

因力量增加故，一切問題皆可解決，一切占問皆能滿願。

唯與水有關之事，如祈雨等，則不能達到理想。

密宗信徒可修「蓮花生大士法」或「伏金翅鳥法」、「大黑天法」等。

佛教信徒可向釋迦牟尼佛祈請。

一般意義為：「力量增長，無不如意。」故實為吉占也。

ར་ན་（Ra Na 25）

卦象：枯樹

如樹無水
不能生果
求占問者
一事無成

訊號：心為物擾，由是苦生

魔羅的使者聞香鬼（乾闥婆）說：「由於人心常受物質牽引，因此他們的追求永無了期，痛苦即由是而生。」

學佛的人，若心為物轉，即為聞香鬼所笑，必須以心轉物，然後才能作萬象的主人。故曰：「一切唯心造」。

是故必須通達緣起性空，然後才能以心轉物，有所期求亦如是耳。知空性的人，不會患得患失，因此便不為苦惱所苦。來占問者，亦須如是體會業力因緣。

占斷：

家宅

外表似無不妥，然而前景卻不樂觀。

家庭成員可能潛伏暗病。

六甲防小產流產。

財富

主有隱憂，須檢查預防。

投機必主失敗。

計劃須重新整頓，舊業亦必須加以振作。

謀望

恰如火焰，忽地熊熊燃燒，然隨之即告熄滅。故所謀望之事，看似興高采烈，須防突然冷卻。

困難剛有解決之機，而新的困難又生起。

人事

很難得人助力。或口惠而實不至，或稍予幫忙，立即罷手。

求婦人幫忙，效果稍佳，但卻易因此惹是非，結局亦難如理想。

仇怨

仇怨力微，不能加害。

詞訟宜和解。

是非謠謗不宜澄清，愈描愈黑。

行人

行人疲累不安，心情煩躁。

行人及信息均阻滯。

出門旅行，提防失物。

疾病

主肝膽疾患，可以治癒。

老年人所患的病，牽涉若干器官，故只能休養治療。

此占亦主中毒，影響消化系統及血分。

女性介紹的醫生較佳。

不宜動大手術。

魔祟

祖先或親友先靈作祟，然無大害，宜超度亡靈。

與地神隔膜，宜祭祀。否則對健康不利。

風水不佳，宜祭地神，以及改善房屋之通道與房間位置，並懸掛咒輪。

失物

失物被盜，故難以尋回。

請託

由於你受別人影響，故所託有如夢想。

所請託不切實際。

婚姻

關係漸冷，戀愛不成功。

配偶感情隔膜。第三者侵入。

其他

一切占問皆不吉祥。尤其關於幸福、吉運、建設性等占問，更不吉利。

宜將一切計劃延期，作好準備。或重新檢討計劃。

密宗信徒宜修除障法及上師法。

佛教徒宜祈禱普賢菩薩，多誦《大悲咒》。

一般意義為：「虛空不實，有如夢幻。」故應反省所求是否實際。

ར་ཌྷི༔（Ra Ḍhi 26）

卦象：吉門

南門護法開城門
此門即是吉祥門
來占問者開智眼
有人為汝獻計謀

訊號：呼召西方女神如呼良友

西方阿彌陀佛，藏密稱之為「蓮花部」。阿彌陀佛又名無量壽佛，有五姊妹護法。本占得長壽護法五女神加持，故主吉祥。然加持力仍須憑清淨願心始能獲得，故占者須反省自己所求是否清淨。如非清淨願者，則不能如意。

占斷：

家宅

家運興隆，前景吉祥。

家宅增添人口。多主生男。

不久將搬遷新宅。

財富

財富日益增加。

宜執行新計劃。舊業亦主更新。

宜與人合作。

只宜長期性投資。

謀望

宜聽從良朋的勸告，則一切事皆易成功。

若獨斷獨行，則反生障礙。

對一切事皆應反省，如照鏡自察容顏，一發現不潔即行清洗，能如是改正缺點，則諸事吉祥。

人事

宜結交有智慧的朋友。

僅有財勢而無智慧的朋友，都屬損友。

仇怨

無仇怨加害。

可託人調解，化敵為友。

行人

旅途平安而且享受。

出門宜結良伴同行。

行人平安，不日抵達。

佳音即至。尤利於推薦、介紹、擔保的文書，不但立刻到手，而且有力。

疾病

病態雖不嚴重，但較纏綿。

宜祭蓮花部諸神，為病者祈禱。

（按，阿彌陀佛、觀音、大勢至等，即為蓮花部諸佛菩薩。）

魔祟

無魔祟侵擾。

風水良好。僅須注意通風。

失物

自失物地點之南方或西方尋找，即可物歸原主。

宜託人代找，可得信息。

請託

一切請託皆能如願。

求人勢力財富，不如求人智慧。

婚姻

天作之合，必能成功。

配偶感情良好。

若有第三者亦能解散。宜託人調停。

其他

一切占問皆吉。

如有不合理及損人利己之心願，須立即回頭，從新計劃，則自獲吉祥，否則反告傾敗。

得人協助計畫，則目的不但能達到，且有進展，能開展新猷。

密宗信徒宜向蓮花生大士、紅閻曼德迦祈禱。多供養酥油燈。

佛教信徒可向觀音菩薩祈禱，以及誦《六字大明》。

一般意義為：「良朋一言，勝似萬千。」故占者宜得朋友參與計劃為佳。

པ་ཨ་（Pa Ah 31）

卦象：甘露瓶

占者占得甘露瓶
由是得嘗甘露味
寂靜諸法皆成就
一切毒法不生起

訊號：飲甘露，得長生

西藏密宗修持，最重觀想。然一切觀想，皆以空性為基礎。通過觀想，亦一步一步可證悟空性。「甘露」亦如是，無非觀想而成，其中雖加有上師的「甘露丸」，但實際作用並不在於「甘露丸」中的種種成份，而在通過觀想，想此甘露乃從諸佛流出，能除我等粗色身之種種障礙，包括夙生以來種種罪業，以及冤敵債主等。然而卻須知甘露亦無自性，即須於空性中嘗甘露味，然後始得法益。說「得長生」云云，無非就世俗層面而言，故占得此卦，其意義實不止於此，能得法益，尤為重要。

占斷：

家宅

外表興盛，內有不足。宜懸掛咒輪於通道牆壁。

添人口亦損人口。

新屋落成，更須修整。

財富

實際收入不如外人估計之高。

只宜長期計劃，不可短暫投機。

守舊更新，無不如意。

宜置恆產。

謀望

所求遂意，無有障礙。

若能滿足上師心願，則所求更見順利。

有大願望，可向上師本尊祈禱。

人事

得道多助。

友人能提出更完美的計劃。

仇怨

仇怨不生，因彼等皆心平氣和，不欲生事。

宜修懷愛法祈禱，自易化敵為友。

行人

行人即將平安到步。

旅程中因小孩有麻煩，故稍阻遲行程。

信息即至，且屬佳音。

疾病

醫療與祈禱，均易令病者康復。

動小手術有益，大手術不宜。

提防呼吸器官疾患。

重病者宜向藥師佛祈禳。

魔崇

無魔崇侵擾。

風水佳，唯陰暗角落宜裝置燈光。

失物

往失物地點之南方追尋。

失物可在近水處尋獲。

請託

請託如意，但受託者未盡全力。

有些事情的請託結果不佳，然此實已在占者預期之內，故亦無害。

婚姻

婚姻可成，唯日久則覺無緣。

婚姻不離散。

對第三者須容忍。

其他

一般來說，所求皆能滿願，唯未十全十美而已。

若涉及武力及毒物之占問，則告失敗。

若占得此卦，而所求謀有大困難，則宜布施求福。

密宗信徒宜祈求大日如來。

佛教信徒可祈求藥師佛。

一般意義為：「平淡中有刺激。」故外象穩定，實則應提防應付，反省計劃，則事機無不如意。我行我素，則有麻煩。

པ་ར་（Pa Ra 32）

卦象：死水塘

活水源頭若竟無
池塘點滴便乾枯
占得此象主耗散
日有所減徒辛勞

訊號：沙岸建城堡

魔羅手下群魔聚會，他們商議，在大洋的沙岸上建造一座城堡。

城堡即使用巨石疊成，亦無所用，因為基礎不堅固。

無論世間法或出世間法，都須基礎。出世間法，以菩提心為基礎，即是以般若智行大悲心。若無菩提心，一切修持反成輪迴的因，學佛終無成就。至於世間法之須重根基，則人皆知之矣。得此占者，應防工夫白費，徒勞氣力。

占斷：

家宅

看來無恙，實質已伏危機。占者須多積功德。

六甲防小產流產。

財富

不見其減，日有所耗。

且莫問創新業，不如先整頓舊業為佳。

投機者受困。

謀望

向人求助，了無得益。宜自己努力。

所謀口惠而實不至。

以女求男，易得助力，然益處亦不大。

人事

即得人幫助，結果亦有不如無。

仇怨

仇怨之大，出乎估計之外，然暫時不生傷害。宜慢慢化解。

能令仇怨感激你，比令仇怨害怕你好。

提防是非擴大。

詞訟宜和。

行人

旅途諸多困擾，終無大害。

行人像一傷兵般如期抵達。

信息即至，但未必如所想像般好。

疾病

防有隱疾暗病，應即檢查身體。

心腎不交，時易失眠，終至身心受損。

魔祟

執得別人遺失的物件，被人詛咒，以致不安。

於屋的西方有一紅衣鬼魂，宜即設法祈禳，如修「蓮花生大士法」、「金剛薩埵超度法」之類，亦可誦《大悲咒》及掛十一面觀音咒輪。

風水欠佳，東西兩方皆宜修葺。

失物

失物已壞，尋回無益。

若失錢財，人已用去。無謂追查。

請託

凡請託似皆如願，實質毫無益處。

婚姻

未婚已婚者皆有隱憂。

第三者出現。

其他

占得此卦，雖不宜進行新業務，但其餘占問，一般皆以去舊更新為佳，故利遷移，求新職，或改變工作時間之類。

密宗信徒宜布施喇嘛，供養上師。

佛教信徒宜齋僧，且宜行甘露水法、沐浴法等。

一般意義為：「歡樂日漸減少。」故宜檢討目前，看隱憂何在，予以改善。

པ་པ་（Pa Pa 33）

卦象：甘露海

占得甘露海
一切皆增長
歡樂如海洋
何況是甘露

訊號：夏天河水長

本占訊號，恰如最勝佛頂輪王所云：「河水到夏天自然增長。」

（按，印度的河水，來源為雪山，夏天雪山溶化，故河水增長。若漢土則春天溶冰，春江水長矣。此時間不必拘泥。）

水有源頭，則自然增長。本占吉祥之處，正重在源頭。

占斷：

家宅

現狀已佳，逐漸興隆。

人口增添，六甲生女。

有喬遷之喜。

財富

恰如春園之草，不見其長，日有所增。

舊業興隆，新猷亦好。

不宜求暴得之財。

謀望

凡所求謀，皆遂心意。

宜作長期性計劃。一切客觀條件皆對占者有利。

人事

支持力源源不絕。

尤主得女性助力。

仇怨

新怨不生，舊怨和好。

是非不起，詞訟可解。

行人

行人如期平安抵達。

信息即至，且屬佳音。

旅途愉快。

疾病

如屬寒疾，即將痊癒。

如屬水大不調，則費時日康復。

注意泌尿系統。

魔祟

魔祟鬼神不擾占者，卻防困擾家人。

風水大致不錯，重新粉飾裝修則更好。

失物

向失物之處的南方或北方找尋，應可尋獲。

不但尋回原物，且有意外之喜。

請託

凡所請託，皆見和諧，故毫不費力。

由一婦人從中斡旋，更見和諧。

路見白衣，帶來喜訊。

婚姻

感情逐漸增長，唯防中途波折。

配偶表面和好，防第三者暗中侵入。

其他

一般占問皆告如意。

所問若與水有關者，尤為得利。

若所問與火有關者，則主不吉。

亦不利有關婚姻之占問。

密宗信徒宜清掃佛壇，陳設新供，且祭祀龍王。或行甘露水法。

佛教信徒宜向佛懺罪。

一般意義為：「清洗污垢，煥然一新。」故利除舊布新也。

པ་ཙ（Pa Tsa 34）

卦象：災難魔

占得災難魔出現
恰如大地被水淹
一切歡樂皆破壞
速向本尊禳災愆

訊號：毒龍攪尾，海水翻騰

守護在北方外門的惡夜叉說：「恐怖的龍神攪動尾巴，海洋為之翻騰而且渾濁。」

在佛經中，龍為「天龍八部」之一，自皈依佛法後，即護持佛法。然亦有懷怨毒心的龍，不守戒律，為非作歹。此亦猶如人的心，有時不能控制，雖受戒律，亦時時違反。於是平靜的海洋即生波濤，清淨的海水即為污染。

令人犯戒的心，無非貪瞋癡三毒，能除三毒，惡業自然不作。

占斷：

家宅

有大困擾，是非口舌不和。

家庭有危難。如家人生病，捲入是非漩渦之類。

六甲不安。

財富

提防破財，且惹是非，宜修清淨甘露沐浴法。

切不可與人合作。

謀望

凡所謀望，皆成困擾，徒令身心不安。

不如守舊，勝似創新。

人事

表面似乎相當好，實際上人際關係無非如風揚塵埃，既不持久，亦不見佳，且多生困擾。

仇怨

是非叢生，官訟纏綿。

有仇怨。於東方或北方尤易受仇怨之害，切須小心。

可能受人反戈一擊，恩反成仇。

易被別人訴訟。宜修甘露水法禳解。

行人

旅途中易有傾跌損傷。

行人有失物、損毀等困擾。

好信息不來，壞信息立至。

疾病

於五大中，患風大及空大疾患。

不良於行。

病情難好轉，宜放多瑪、修除障法、修度母法，以及放生，以作祈禱。並虔誦《大悲咒》。於病人床前懸掛十一面觀音咒輪。

魔祟

被森林精靈作祟。

魔祟附於木器、偶像，以及綠色事物之上。有可能受人詛咒、禁制及下降頭。由於魔祟困擾，當占者處身打鬥場所時，易為人誤傷，或因誤會而受襲擊。

風水不佳，房屋東方及北方均須改善，可懸掛咒輪，並作祈禳。

失物

失物已落壞人之手，難以尋回。

請託

汝心已亂，故難達到請託目的。

連想見面都難，更難言請託矣。

有人破壞阻撓，故不成功。

婚姻

未婚者難諧眷屬。

配偶貌合神離。

第三者困擾，難以解散。宜修除障法。

其他

一般占問都不吉利。

凡事內心煩擾。

唯占問惡事則告成功，如唆擺別人夫妻分散，令人自動離開你等等。然作惡事終生惡果，且招仇怨危害，故宜洗心革面，則自可吉祥。

密宗信徒宜清理佛壇，整理佛書，以及修消災法、懷愛法。且須作供養，以及懸掛咒輪。

佛教信徒宜供養佛塔廟宇。

一般意義為：「心似油煎。」故占者宜暫時放開懷抱，修福結善緣。不宜過急行動。

པ་ན་（Pa Na 35）

卦象：金蓮花

得見金蓮花開放
占者萬事皆如意
有如果仁發綠芽
不須耕種定豐收

訊號：曼陀羅花，得甘露雨

大智文殊師利菩薩之明妃說：「於壇城中，天曼陀花，得甘露雨，花便開得豐盛美麗。」

佛說法時，天女灑天曼陀羅花供養。此供佛之花，本已吉祥。今復見此吉祥花得甘露雨潤澤，自可謂加倍吉祥。

又，釋迦未成佛前，有一生曾以七個金錢買一朵金蓮花，供養燃燈佛，以此功德，得授記成佛。故得此占者，須行供養，作佛教事業，則所為自無不遂意。

占斷：

家宅

合宅平安，吉祥如意。

增添人口，六甲生女。女兒主貴。

婦人尤多喜慶。

財富

財富增加，無不遂意。

可白手而成事業。

創新業不勞心力，可因人成事。

謀望

凡所謀望，愈謀愈好，可謂喜出望外。

有意想不到的機緣。

人事

人際關係愈來愈好。成為社交中心人物。

許多人事關係都會帶來利益。

尤主得婦人助力。

如向黃財神祈禱，財富更得增加。

仇怨

無仇怨生起。

是非止息，詞訟得利。

行人

旅途稍受阻滯，但安寧愉快。

行人平安，只略有稽延。

佳音稍遲即可抵達。

疾病

疾病漸告痊癒，不必憂心。

魔崇

無魔祟侵擾。

因占者能供養三寶，且能照顧親友，故以此福德能不受魔祟。

風水好，但遷新居更好。

失物

失物可尋獲。

即使目前不能尋獲，稍後無心自得。

請託

凡所請託，略遲即告如願。

宜向婦人請託。

婚姻

未婚者即將獲良緣，唯稍受稽延。

配偶感情，彌久愈堅。

縱有第三者，亦將離散，雨過天晴。

其他

一般占問，皆為吉占。

縱使現況似不佳，事機將漸告好轉，且前途美好。

密宗信徒宜修寂靜尊法。

佛教信徒宜向四天王祈禱。

一般意義為：「福澤愈增」，故占者不可心急，凡事聽其自然，則必吉祥如意。

པ་འཕྲོ༔（Pa Ḍhi 36）

卦象：甘露藥

如藥甘露療百病
一切煩惱皆消解
來問卦者得此占
吉祥雲集變黃金

訊號：於南方，獲吉祥

五方佛中，南方為寶生佛，主增益財寶。得此占者，主於南方得財富，而凡百所謀亦皆如願。

於壇城中，守北門者為甘露明王，其甘露如藥，能療五濁惡世諸般熱惱，如貪瞋癡慢妒等。五毒不起，則自然功德增長，故如藥甘露所療，固非只心中苦惱，實增長出世間智慧也。

占斷：

家宅

人口平安，家門有慶。

增添人口在明年。

財富

現狀其實已不錯，前景尤其美好。

於南方求財，無不遂意。

謀望

一切計劃皆能滿願。尤利南方。

凡有心願，日久自能完成。

得道多助，不必心急。但能消心頭煩惱，自獲吉祥。

人事

人緣好，得助力，且彼此有利。

不宜懷自私心，否則招怨。

仇怨

縱有仇怨，亦不加害。

妒忌你的人，終於成為你的朋友。

官司可扭轉形勢而獲勝訴。

行人

旅程平安。若向南行，更有意外之喜，向北行則稍有稽留。

行人可依期抵達。

信息即將來到手上，且屬好消息。

疾病

但遵醫囑，疾病即告痊癒。

雖重病亦可漸告康復。

魔祟

如今已無魔祟。

曾受巫蠱詛咒者，一切巫術已告消除。

風水自然變好，可能是內外環境無意中已獲改善。

失物

向失物之南方或北方找尋，一定可以尋回，唯須動作迅速，遲則失物已損。

請託

凡有請託，人稍猶豫，即便答允。答允後即能盡力。

婚姻

稍遲便諧美眷，不必憂心。

配偶和美，有裂痕亦能彌補。

第三者自行告退。雨過天晴。

其他

所占一般皆能成功。尤利於敗中求勝，扭轉局勢。

若能勸人打消壞念頭，則人已皆得好處，且所得利益出乎意料之外。唯若附和別人做壞事，則不但不能成功，而且有禍。

密宗信徒宜修寶生部法，亦可向蓮花生大士祈請。

佛教信徒可向寶生佛祈禱。

一般意義為：「消災解難獲禎祥。」故占者縱處逆境，亦不必憂心。

ཙ་ཨ་（Tsa Ah 41）

卦象：吉祥白傘

大白傘蓋搖搖
是為吉祥之兆
諸般災厄解散
占者福德加添

訊號：滿園鮮花，及時而開

大白傘蓋佛母以白傘蔭庇眾生，能避刀兵水火一應災厄。是故占者遇此，乃花團錦簇，無有不祥。

一切災厄的發生，都基於共業，或基於個人的惡業，學佛的人，唯至誠發露懺悔，始能將業力清淨，或能重業輕報。倘但仗加持力而不懺悔，則災厄的果報始終到來，有如果種猶在，終有機會發芽開花結果。占者幸垂意於此焉。

占斷：

家宅

家宅平安，是非口舌平息。

多年不育者，可望懷孕。

六甲生男。

財富

財富加添。一切障礙即行消除。

舊業轉好，又可創新猷。

謀望

可以滿願。

佳音指日可待。

唯占者之決定，有時會無效益。別人對你的諾言，亦如空中鳥跡，無影無蹤。是故主動不如被動。但宜主動解釋誤會。

人事

須檢討過去的人事關係，加以改善，然後事業上始得人助力。

可向黃財神祈禱，則易得人助力。

仇怨

無須憂懼，仇怨不能加害。

官司可解散。

行人

行人指日即至。

旅途享受，無有災厄。

疾病

病人即日康復。

動手術亦無危險。

魔祟

占者之困擾不由魔祟而生，純然心理。故不應因此疑神疑鬼。

風水本佳，唯須徹底清掃。尤須注意除去經書上的塵。

失物

失物有機會尋獲。

有時主失物仍在家中。

請託

請託有障阻，對方承諾有如鏡花水月。

求人不如求己。

婚姻

排除困難始成美眷。

配偶間有誤解。宜於睡房掛咒輪。

第三者須假以時日始能離散。

其他

本占一般主消災解難，故自力勝於他力，被動勝於主動。即聽其自然勝於積極求謀。占者須領會其意。

密宗信徒須修消災法。

佛教信徒可向觀音祈禱。

一般意義為：「決定了道路，即能平安抵達。」故占者宜緩圖，不宜急進。

ཙ་ར་（Tsa Ra 42）

卦象：大火焰兵

兵器能生大火焰
事業成功不待言
此乃勇敢之酬報
占者須善會此意

訊號：降敵摧魔，即可成功

占得閻曼德迦壇城。

閻曼德迦為忿怒尊，統領忿怒眷屬，蓋乃文殊師利菩薩所化的忿怒身，能除魔怨，復能善除一切誤會。本尊發怒說：「打敗敵人，摧服魔眾。」

密乘的本尊有兩種，一種為寂靜尊，一種為忿怒尊。其實所有忿怒尊皆為寂靜尊的化身，亦即代表其摧服障礙的力量。因密宗之所謂魔，亦無非障礙而已。能除障礙，則自能成功。

占斷：

家宅

是非口舌漸消除。

向護法祈禱則福澤增加。

多年不育者，一索得男。

財富

財富突增。因障礙消除故。

大利競爭，以弱勝強。

謀望

十方謀求，無不遂意。

尤利於謀望須勢力之事，如降服仇怨、解除誤會等。

修降服法可有幫助。

人事

由力量可致人事幫助。例如憑一己之聲譽，藉有力人士居間之類。

婦人稍有障礙，但亦易消除。

仇怨

能鎮懾一切仇怨。

仇怨反成助力。

官司得勝，是非得理。

行人

行人平安，迅即抵達。途中即稍有障礙亦反因而得福。

旅途稍有障礙，因而得福。

書信即來，不必心急。

疾病

疾病剋日即告康復。

動手術大利，不必猶豫。

魔祟

占者心志力強，故魔祟不能加害。宜對魔神起慈悲心，則彼將成為助力。風水縱壞，暫時亦不生影響。宜重整佛壇，清潔經書佛像，以及懸掛咒輪。

失物

失物容易尋回。

失物落在人手，亦可憑力量索回。

請託

凡有請託必能成功。即稍有障礙，亦自能消除。宜修除障法。

以力服人後，宜濟之以悲心。

婚姻

未婚者婚事即將成功。

配偶稍有口角，亦無大害。

若有第三者，亦將自行離散。

其他

本占為以力服人之象。故一般皆主能破除障礙，誤會消除而得成功。

唯與水及地兩大有關之事，則會遇重重困難。

與雷電冰雹有關之事，以及與火大有關之事則能成功。

密宗信徒可修《閻曼德迦法》。

佛教信徒可向十一面觀音祈禱力量增長。

一般意義為：「降服他人而得利。」故得此占者成功亦須費力。尤宜以大悲心對被降服者，留有餘地。

ཙ་པ་（Tsa Pa 43）

卦象：空虛心智

有如風旋於空谷
聲音雖響卻空虛
占者既得如是占
心智空虛亦若是

訊號：風卷白紙，誰能捉持？

大魔羅的使者，巡遊於都市村邑的精靈，於西北方巡遊時，群相告語曰：「很難捉得住一片被風吹卷的白紙。誰能捉得住？」

故此占訊號不祥，所求有如捕風。

其所謀求種種何以失敗，殆係由於占者心中欠缺主宰，既無定見，自難成功。又或由於基礎不足，但作空想，空中樓閣自亦難以實現。

佛家所言空性，乃謂事物本質不實，非言心智空虛，占者詳之。

占斷：

家宅

人口不安，吵鬧是非困擾。

家庭成員或生離散，或受損傷，或生疾病，諸般不祥，急須禳解。宜多誦《大悲咒》。

財富

所謀失意，財帛損失，急須整頓計劃。

未曾三思，千萬不可開展新計劃。

即使謀定而動，亦須三思而後行。

不可投機。到手的錢財亦在手中漏去。

謀望

勿為小小事情花費太多精神，不值得，須知船到橋頭自然直。

若輾轉託人，不如不託，反對所謀望的事情有益。

心思未定，茫如捕風。

人事

以為有把握委託於人的事，結果弄得一團糟。

須下明確的指示，然後別人才能處理。若自己內心猶豫，則不如將事情放下。

女人會把事情弄壞。

仇怨

恩反成怨。

若能與仇怨面對面溝通，則無大害。

破財消災，仇怨反而可能對你有利。

宜訟宜和。是非宜解釋。

行人

旅途雖無大事，但難達目的。

行人空手而歸。

信息至，亦無用。

疾病

主染風寒之疾。或屬氣大疾患。

身中五大不調 —— 地水火風空。

因人際關係不良，弄到精神困擾，情緒不安。離開他們即得自在。

無論精神或肉體上之疾患，皆只宜慢慢調養，無法立刻康復。

動手術亦無用。

魔祟

雖無大害，但亦應祈禳。可行清淨沐浴法，或除障法。

鬼神皆陰性，故宜祀女性本尊。

風水不佳，欠陽光照明。可懸掛咒輪於暗處。

失物

難以尋獲，徒費心力而已。

請託

凡所請託，皆難如願。

所託之事目標不明，即好友亦難予助力。

婚姻

追求有如捕風。

配偶有心病，各懷己見。

第三者侵入難以解散。

其他

有所主張，別人亦不聽從。

一切希望，皆告落空。

由上兩端，占者宜重新檢討自己的計劃，若認為正確，即宜下定決心進行。進行途中亦應時時反省檢討。

且應積累功德，閱讀經論，以求心平氣和。

密宗信徒宜勤修本尊法。

佛教信徒宜體會空性，唸《般若心經》。

一般意義為：「心碎成片」，故精神打擊實大於物質損失。

ཙ་ཙ་（Tsa Tsa 44）

卦象：升揚聲望

勝利鼓聲響
聲望定升揚
占者得此卦
金翅鳥飛翔

訊號：征服十方，旗飄山巔

軍荼利明王說：「時間到了，征服十方，舉起旗幟，飄揚於山巔。」

故此占主占者的聲望升揚，名震遐邇。如金翅鳥之子，戰勝惡龍，翱翔於天際。

名望既高，所作自易成辦，故此占亦主成功事業，名利雙收。

然暴起者亦易暴落，即金輪王征服十方，其事業亦難永垂萬世，故占者須處處留一地步，不可獨佔全部利益，能以恩澤惠人，則自生福德。若更能增長功德，弘揚密法，自更吉祥。

占斷：

家宅

現狀不錯，未來當更美好。

增添人口，六甲生男，不過相當頑皮。

於家運興隆中，須體貼下人。

財富

財富即將增加。

不宜恃勢凌人，若是則後遺症不少，目前雖可得利，亦得不償失。

不宜以力鬥，否則收穫甚少。

謀望

凡有謀望必得心應手。

須別人心悅誠服地幫助自己，若出於威逼利誘，則僅成小事，大事不成，如為山九仞之功虧一簣。

婦人有時會誤事。

人事

人事關係好，雖輾轉託人，亦有佳音。

仇怨

仇怨雖欲作梗，亦必告失敗。

得饒人處且饒人。

官司得勝，是非解散。

行人

旅途享受，喜出望外。

行人即至，且帶來佳音。

信息即至，消息良好。

疾病

縱因風大不調，亦無大礙，醫療即可逐漸康復。

不必動手術。

魔祟

無魔祟侵擾。但家中有婦人見怪異，此純由於心理作用耳。

風水良好，粉刷一新即可，不必緊張。

失物

立即於失物處所之東北方找尋，便可原璧歸趙。

請託

凡有請託，無不如意。但能禮下於人則人更能盡心盡力。

婚姻

天作之合，姻緣成就。

配偶無嫌，夫妻唱和。

有第三者亦不足為患。可修甘露水法。

其他

除有關地大與水大之事外，毫無困難，不費吹灰之力即能成功。

然有關地大水大之事，則須面對困難，應尋求助力，幫忙解決。

密宗信徒宜修護法法。

佛教信徒宜向釋迦祈禱。

一般意義為：「立刻成功，且獲聲望。」

此實名利雙收之吉占也。

ཙ་ན་（Tsa Na 45）

卦象：聚會群魔

大魔羅聚會
凡事皆不祥
占者逢此卦
木斷在中央

訊號：草木被刈，凡事中斷

世界壇城的外東門守護者，大聲咆哮：「用鐮刀割去所有的植物！」

此訊號主事機中斷，事不到頭。占者遇此大為不祥。

然而許多事情，魔由心生，如密宗行人修持密法，忽然厭倦，中斷不修，是之謂「中斷魔」，蓋亦心魔而已。

故得此占者，能建立誠意，鍥而不捨，則事情當有轉機，不必心灰意冷。

占斷：

家宅

現狀並非美好，是非困擾，口舌叢生。且或主有疾病死亡等事。

防小產流產。

財富

困乏，暫時亦看不到轉機。宜修除障法。

且有失業之虞。

投機大為不利，時機必生錯誤。

謀望

謀為不利，主計劃中斷。

人事

雖有良朋無可助力。

仇怨

於城中或城東，會為仇怨侵擾。甚且強烈襲擊，務須小心謹慎。

是非擴大，不可收拾。

官司失利，亦難以得直。

行人

旅途中有大困擾，不如不去。

行人阻滯，彼等將後悔此行。

信息不至。

疾病

病人患嚴重痰疾，如中風之類。

亦主嚴重呼吸器官疾患，導致呼吸困難。

試試換醫生。唯切勿在城市中部或東部延醫，大為不利。

動手術亦無濟於事。

宜向藥師七佛祈禱及持誦《大悲咒》。

魔崇

為地神侵擾。

作祟者為一黃色物件。或為一方形物件，或為一方形房屋。

為人下降頭，速速禳解。下降頭之物乃來自巫術祭司，經一婦人手所下。

占者住處原為非人所居，風水大為不利，宜遷地為良。

暫時可懸掛十一面觀音咒輪，面對大門，以為禳解。

失物

財到光棍手，肉到老虎口。

請託

受請託者即使作諸般建議，甚至表示無限關懷，結果請託終不能如願。

受託者其初當有誠意，但為人唆擺，以致助力中斷。

婚姻

山盟海誓亦成空。

配偶易生離散。有第三者侵擾。唯第三者感情亦不持久。

其他

除邪惡事外，均難以成功。唯行邪惡，雖成功亦終於受損。

密宗信徒宜放多瑪、獻曼達、供養上師，並修清淨沐浴法、除障法。

佛教信徒宜行懺悔儀式。

一般意義為：「頭頂為大山所壓。」故一切事皆宜暫緩進行，以消除壓力。

ཙ་ཌྷི། (Tsa Ḍhi 46)

卦象：如意寶樹

占得如意寶樹
自當萬事如意
凶事亦能解散
占者吉祥無量

訊號：開誠布公，萬事亨通

壇城東門守者說：「你已進入幸運的宮殿。」故此占洵屬幸運，時有望外之喜。

如意寶樹生於天界，凡有所求，此樹皆能給予如意果。能生天的人，具大福報，乃由功德而生，故占者亦應長養功德，然後始獲吉祥。

此占宜開誠布公，故行惡事者得之，反主不祥，切勿妄作妄為。應自行懺悔，則可轉禍為福。

占斷：

家宅

家宅平安福澤。一切皆圓滿。

增添人口之慶。

六甲平安，即早產亦無妨礙。

若能感化家人，更屬家門之福。

財富

不須強力爭奪，水到自告渠成。

利開創新業，無惡性競爭。

財富漸長如春芽。時機成熟即至。

謀望

一切謀望大吉昌，指日即能成就。

別人放棄的事，你接手去做，一定成功，不必猶豫。

關於實業投資亦告吉利。

人事

合作無間，彼此和氣生財。

異鄉人帶來好運氣。

諸神庇佑，賜以機緣，故與友人洽談，即能生主意，或獲特殊助力。

仇怨

放開心事，無任何仇怨。

仇怨都有跟你和解之心。宜修甘露沐浴法。

是非易平息，詞訟可得直。

行人

旅行得遇良友。旅途愉快。

行人尅日即至，且攜來好消息。

信息即將到達。

疾病

但憑醫囑，即易痊癒。

即使動手術亦無妨。

唯生殖系統疾患則較難康復，須假以時日治療。

魔祟

千祥雲集，百邪不侵。

風水良好。若門對道路相沖，反而更好。

失物

失物宜向失物處之東方或北方尋找。

請託

現行計劃縱有延遲，唯一旦進行，便立即獲得多方面助力，凡有請託，皆有望外之喜。

婚姻

未婚者必然成功。

已婚者無有嫌隙。

無第三者侵擾。

其他

諸事如意吉祥。

唯出外謀望，事機稍受稽延。此亦無礙，蓋結局依然良好。

密宗信徒宜修《四臂大黑天法》。

佛教信徒宜向寶生佛祈禱。

一般意義為：「帶着歡樂的消息到山巔。」

實屬名成利就的吉占。

ནཱ་ཨཱ་（Na Ah 51）

卦象：金山

黃金為山在眼前
不但豐饒且堅穩
占者能得此卦象
定是前生有宿因

訊號：不變之吉祥訊號

吉祥訊號多不變，即意味吉祥來得穩定。這比突如其來的幸運要好得多。得此占者，為宿業福報。

佛家重視因果，一切因果皆基於業力，但業力結果亦須種種助緣，如栽花亦須施肥，因此欲結美滿果實，亦必須作種種善緣相助。得此占者，幸勿得意忘形，應多作善行，則吉祥自告穩定，否則一旦惡業生果，吉祥即不永久。

占斷：

家宅

家宅興隆不替。

增添人口，六甲平安。

財富

財帛持續增添。

事業穩定，且可創新業。

宜置房地產，可以獲利。

謀望

凡謀望皆有良好結果，且穩定持久。

大事則稍有稽延，但結局反而比理想更好。

人事

老朋友會加以助力。

能得源源不斷之助力。

仇怨

因占者有力量，故仇怨不能加害。

是非易解散，官訟可得勝。

行人

旅途有小麻煩，如失物、延誤等。

行人稍遲即將抵達。

佳音稍候即至。

疾病

無災無病。

魔祟

無任何魔祟侵擾。

風水良好，不可搬遷，不如裝修為佳。裝修須用鮮明顏色。亦宜懸掛咒輪及祈禱旗。

失物

失物並未落他人手中。

請託

目前計劃，凡有所請託皆略生障礙，人或延遲答覆，但計劃一旦進行，即告順利，所請託即能成功。

婚姻

良緣天作合，且愛情永固。

配偶感情和美，無第三者困擾。

其他

一般占問皆告吉祥。

唯問旅程，以及到外地經營等事，則有所拖延，但亦不必心急，終抵於成。

密宗信徒可修蓮花部法，或母續忿怒尊法。亦可祀黃財神及多聞天王。

佛教徒可向地藏菩薩許願祈禱。

一般意義為：「立定腳跟不動搖。」故此占宜靜不宜動，舊業勝新圖。一切事情皆已有良好穩固基礎。

ན་ར་（Na Ra 52）

卦象：天魔

魔羅天魔已出現
所占皆見不吉祥
恰如火燒新房舍
占者難免心憂煎

訊號：希望之火，焚燒自身

在壇城外西門巡遊之大欺騙魔倡言曰：「希望之火一旦燃燒，即將反而焚其自身。」故此乃不祥訊號，其意曰，人若有任何希望，則反而導致恐懼憂煎。

佛家本來也說，無明是輪迴的根本。所謂無明，即是對「人我」、「法我」的執着。許多人的希望都由執着自我而生，是故希望之火可以焚身，亦未嘗沒有道理，占者得此卦象，不妨反躬自省。若希望不但求一己之私利，則祈禱可獲吉祥。

占斷：

家宅

家宅不安，生大障礙。

是非口舌叢生，由各種誤會引起。

愈望添丁，愈難添丁。

財富

容易引起損失，尤以投機為然。

舊業固不安，創新更不易，小心小心。

業務有大障礙，亦主惡性競爭。

謀望

一切謀望，茫如捕風。

男性會帶來困擾，但卻可能出於好意。

人事

有如焚燒錦緞之灰，脆弱可知。宜誦《大悲咒》祈禱。

仇怨

仇怨將會加害，尤其是在西南方，更須特別小心。

是非可能擴大，官司將告敗訴。宜誦《大悲咒》祈禱。

行人

旅程危險，生命財富都將不保。

行人處於險境。

信息投遞失落。

疾病

主血病、熱病、痰疾等。

病情愈來愈沉重。可以試一試轉換醫生。宜誦《大悲咒》，以及懸掛十一面觀音咒輪。不宜動手術。

魔崇

致魔崇之物為三角形物件、紅色物件、由西方來的血或肉，皆令占者受害。

若在廚房焚燒垃圾雜物，則可能惹異物侵害，且導致危險。

風水不利，遷地為良。臨時可懸掛十一面觀音咒輪於東方。

失物

無法尋回，不必費力。

請託

由於障礙叢生，故凡所請託皆無結果。

答應之後又反悔。

閒閒一言，壞了好事。

婚姻

婚姻非良偶，不如另找對象。

配偶已貌合神離。

第三者佔盡優勢。

其他

一切占問皆不吉祥。

欲做壞事，則能成功，但小心後果，一定蒙受不利，會受官司刑責。

必須修除障法。除此之外別無他法。若不識修此法，亦找不到人代修，則唯有在佛前懺悔祈禱一切罪障，並誦《大悲咒》一百遍。

一般意義為：「痛苦令人生熱惱。」故占者宜知業力因果，修德行仁以謀補救。

ན་པ་（Na Pa 53）

卦象：寶瓶

寶瓶滿載定豐收
此象又名如意牛
占者得牛為耕墾
不勞氣力倍收成

訊號：既得金瓶，又得甘露

白文殊菩薩說：「得到盛甘露的金寶瓶，十分美好。」卦象中說的寶瓶，乃西藏密宗八吉祥之一。通常用寶瓶盛載食物，如青粿之類。至於如意牛，則乃傳說中的神物，用以耕地，一切可滿耕者意願。如今寶瓶中還盛載着甘露，當然更為吉祥。

白文殊菩薩能消解災難，故此占為災厄消除，獲得雙倍成功之兆。從前障礙已不復存，從此謀為不費氣力。

占斷：

家宅

家門有慶，雨過天晴。

久不育者可獲生女之喜。

財富

業務從此順利亨通。財富從此積聚。

過去的損失定能得到補償。

可以與人合作進行新計劃。

謀望

心生喜悅，無往不利。

從前謀望有阻的事，如今忽告順利。

婦人有利於占者所謀望的事。

人事

由阻力變為助力。

只需開口，立刻成就。

仇怨

既無仇怨，亦無盜賊。

從前是非困擾，今日煙消雲散。

官司得利，詞訟得勝。

行人

旅途即有小阻亦十分愉快。

行人稍遲到達，不過卻很高興。

佳音稍候便至。

疾病

病人即漸告康復。

不必動手術。

不必換醫生。

魔祟

雖有精靈詛咒，亦不生效。

風水能改善則為佳，注意一下南方或北方圓形的事物。

失物

於住所中央或東部去找。

於失物地點的南方去找。

請託

受請託者若未盡力，他們將生悔恨。

一託不成，再請即可如願。

向婦人請託，可以影響她的丈夫。

婚姻

勿為目前的小不如意後退。

配偶和好如初，且感情發展。

第三者將自動退出。

其他

一切占問皆吉祥如意。

若能接受財神灌頂，則更吉祥。

密宗信徒可修《象王金剛法》。或修護法秘密供養。

佛教徒可向毘盧遮那佛祈禱，或誦《文殊師利真言》。

一般意義為：「吉祥地，長出如意樹。」

是故占者應能滿足心願。

ནྭ་ཙ་ (Na Tsa 54)

卦象：沙丘

沙丘呈現怎攀登
心願猶如風卷塵
占者若然得此卦
徒勞空想枉勞心

訊號：金屋夷為平地

東北方的魔羅使者說：「金屋漸漸夷平，歸於塵土。」故此占為敗壞之象。看起來很成功的事，終於一旦崩潰。故得此占者，務須小心從事，不可憑主觀逞強。

諸行本來無常，故已成功者亦可能因一念而失敗，故小處不戒，終成大災，占者須知此意。

若能守舊，或打消所求之欲望，另待時機，則可無事，但舊業仍須戒慎恐懼。

占斷：

家宅

家道漸漸消沉，是非日日叢生。

人口有損。

財富

財富日漸消磨。

持保守之心，檢討缺點，勝於貿貿然更新。能守已屬萬幸。

千萬不可投機，亦不可冒險投資。

謀望

中途發生巨大變化，終致謀望不成。

千萬不可孤注一擲。

人事

新關係靠不住，舊關係則無力。

勿信順口雌黃之言。

仇怨

為仇怨侵吞利益及財產。

是非突然擴大。

官司突然變得複雜，以致敗訴。宜修甘露沐浴法。

行人

旅途尚平安，可惜到步後事事不如意。

行人即到，可惜帶來煩悶與憂傷。

信息即到，只是壞消息。

疾病

小病無妨，可以康復。

動手術，要三思。

魔祟

雖無大魔祟，亦足以困擾身心。

曾行不善業，由是惹魔生。須立即懺悔祈禱。宜修甘露沐浴法。

風水不佳。你曾改動過的地方，改壞了風水。

失物

遺失愈久愈難尋獲。

請託

即請託如願，實際亦無利益。

凡有請託，皆有困難。

別人不會可憐你。

婚姻

追求成功亦非美眷。

配偶漸懷異心。宜修除障法。

第三者緊纏不休。

其他

一般占問，皆無結局；唯破壞性占問，則可告成功。

密宗信徒宜多向蓮花生大士祈禱。亦宜埋藏金字經卷用以消災。

佛教徒宜向寶生佛祈禱，亦可虔誦《大悲咒》。

一般意義為：「山嶺消磨成塵土。」故此乃表象似乎不壞，實質暗中耗損之占，凡所占問，皆須體會此意。

ན་ན་（Na Na 55）

卦象：金屋

金屋出現於卦象
凡事廣大且吉祥
占者所問皆穩固
幸運前程無限量

訊號：黃金地上，建七寶樓臺

多聞天王說：「在黃金地上，建七寶樓臺，令人驚喜。」黃金為地，基礎穩固，故主一切穩定而且廣大。得此占者，所求定有美好前途。

然黃金為地，七寶樓臺實乃淨土的境界。佛家說淨土，原非炫耀金寶，只是與五濁惡世作一對比，此土濁，佛土淨，故乃說種種金寶莊嚴。若此心清淨，心即淨土。故占者得此卦象，能知此意，心不為濁染，知所進退，更能知涅槃功德，則自能生大吉祥。

占斷：

家宅

家宅運程興隆，且前途廣大。

增添人口，六甲生女。

財富

現狀甚佳，財源不斷。且有美好發展前途，守舊更新皆無不可。

與人合作，發展迅速。

謀望

由於基礎穩固，故所謀定必有良好結局。

然稍有延遲則在所不免。

祭祀土神與財神，定能滿願。

人事

人事關係迅速發展，各方助力源源而來，可喜可賀之象。

尤主得婦人助力。

仇怨

無仇怨窺伺左右，大可放心。

是非官訟不生。

縱有誤會，一言可解。

行人

行人稽誤行程，唯旅途平安愉快，不必掛心。即將到來。

出門平安，稍有小不如意，亦不外延誤而已。出門目的可以達到。

佳音稍候即至。

疾病

雖染重病，亦終不危害生命。

可動手術，效果良好。

不宜更換醫者。

魔祟

無魔祟，亦無巫蠱詛咒。

若精神困倦，不必問巫蠱，停止一段時間應酬生活，稍事休息即好。

風水相當好。僅主陰盛陽衰。

失物

失物在原處不動。

太遲則已落他人手。

請託

凡有請託，皆宜立刻進行，若有延緩，則事情會愈拖愈慢。

宜請託婦人。

婚姻

未婚者對象太多，難以抉擇，娶妻以德不以貌。

已婚者戒三心兩意，若不然，三年後將有苦果。

其他

穩定的事情，得此占為吉。

若占變動性的事，如搬遷、轉業、轉職之類，則有阻滯拖延之象。

本占利建設不利破壞。

密宗信徒宜祀財神佛母，以及埋藏寶瓶於住宅東部，皆能得益。

佛教信徒可向地藏菩薩許願。

一般意義為：「置寶物於寶物之上。」實為穩健發展之占，是故宜靜不宜動。

ན་ཌྷཱིཿ（Na Ḍhi 56）

卦象：寶藏

西門守護告喜訊
寶藏已開君獲取
從此運程必亨通
放心前行定如意

訊號：由乳得酪，自海採珠

壇城西門守護者說：「開啟東方寶藏的門。」這即是說：有如由牛乳中得乳酪，如從大海採明珠。

然而在西藏密宗，「寶藏」還有另外的意義，即是「法之寶藏」。許多法本藏於山巖林洞，待有緣人採取。是為「巖傳」。若有些大德，對密法有特殊造就，由其心意流出的密法，則稱為「意巖」。

是故開發寶藏，便有財與法兩重意味。得此占者，須行布施，最好能兼及「財施」與「法施」。能布施則更吉祥。

占斷：

家宅

家宅運程平穩。前景亦佳。

增添人口，六甲生男。

財富

目前業務順利發展。順水推舟，即可無往不利。

開創新業務則有困難，但始終能克服，其後前程無量。

謀望

根基既穩固，謀望自然成。

有一年紀較大的人有異議，須耐心向之解釋，即能得其助力。

人事

人事關係良好，但必須加以溝通。一旦溝通，立即水到渠成。

仇怨

目前未有仇怨，然日後必招人妒忌。須提防暗算。

是非暫不生，官訟不得利。

行人

出門旅行，順利愉快。

行人即將抵達，雖途中小阻，不足為患。

信息即至，不必心焦。

疾病

一切疾病均主迅速康復。

可遵醫囑動手術。

魔崇

無魔祟侵擾，但亦宜祭地神。

風水不俗，懸掛咒輪更佳。

失物

即在失物地點附近尋找，便能合浦珠還。

請託

長期而言，請託可以成功。

若有目的欲結識有助力者，須費時日交往，不可立即提出請託。

婚姻

費時追求，得結良緣。

配偶須互相諒解。

有第三者，則須讓時間淡化。

其他

一切占問皆易成功。

若問財富，須向財神祈禱。

關於地大之事，尤其前程錦繡。

密宗信徒可向黃財神、多聞天王祈禱，亦宜修供地神法。

佛教信徒可向地藏菩薩許願。

一般意義為：「平地起高樓。」此乃在穩固基礎上順利發展之意，故占者先宜檢討基礎是否穩固，然後始謀發展。

ཌྷཱིཿ ཨ་（Ḍhi Ah 61）

卦象：妙吉祥

妙吉祥童子加庇
如珠寶得入手中
占問者既得此象
自然事事盡興隆

訊號：本覺智開，覺性自來

心之大樂神祇說：「清淨覺性之本覺智一旦開發，則自能成就。」

佛家所說的覺性，即對空性的切身證悟，此證悟境界，如魚飲水，冷暖自知，不可言詮。當能悟入空性，即得本覺智。

文殊師利菩薩（妙吉祥童子）稱為大智，其智慧亦即般若空性，故所持法器，以智慧火焰劍及蓮花上之《般若經》卷為表徵。得此占者，有如得妙吉祥童子現身說法，既得大智，所作自然成辦。

然此占並非以世間智慧為主，故占者亦不宜過分沉迷世法也。

占斷：

家宅

家宅運程良好，平穩且無障礙。

增添人口，六甲生男。

財富

財富增加，無不如意。

求財順利，不生障礙。

謀望

一切謀望均無疑問，因有力者無欺，故自不應生疑。

若能勤修密法，則一切自易成功。

人事

人事關係不斷增加。

仇怨

仇怨皆反而對你尊敬。

不必理是非，是非自然平息。

官訟可和解。

行人

旅程平安且舒適。

行人如期而至。

佳音指日可待。

疾病

疾病須休養以謀康復。

不必動手術。

魔崇

不必擔心。無魔祟侵擾，將來亦無魔祟生起，故絕不生侵害。

風水良好，稍事裝修即妥。

失物

失物自易尋獲，不必憂心。

請託

凡有請託，盡皆如意。

婚姻

天賜良緣，無有不利。

配偶感情良好。

無第三者侵擾。

其他

一切目的皆能成就。

密宗信徒宜修《蓮花生大士法》、《文殊師利菩薩法》。

佛教徒宜向文殊菩薩許願。

一般意義為：「三十六城的統治者。」故世間及出世間智慧皆能如願。

འདྷིཿ ར་（Ḍhi Ra 62）

卦象：如意結

無盡如意結
占者心安樂
如人至花圃
滿眼春光在

訊號：滿眼風光，請君入目

如意結又稱「無盡結」，為吉祥象徵，蓋謂吉祥無盡也。亦如滿眼春光，入目無盡，一望無際。占者可謂花團錦簇。

故此占利於完成一切期望，亦即前程無量之意。唯所期望之事，仍以眼前事務為基礎，不能駕空而成。

又，所謂吉祥無盡，乃指吉祥之事而言。若作不吉祥之事，得此占者則應主不祥。在西藏，占合毒藥（用以殺蟲或治病）或占打獵，皆不以此為吉祥之占。由是類推，即知占意。

占斷：

家宅

外表麻麻煩煩，實際熱熱鬧鬧。

人口不斷增添。家道隨之豐足。

六甲生男

財富

雖不見大展鴻圖，唯卻漸見進步。

不必創新猷，舊業已佳勝。

謀望

目的正確，是故無往不利。

若求吉祥和諧之事，則必滿願。否則難免阻滯障礙叢生。

人事

人際關係美滿。

一次長談，可能帶來極大利益。

周圍發生的事，都使眾人以你為核心，由是人際關係增長。

仇怨

無仇怨困擾，恰如春水平湖。

小是非，可以不管。

無詞訟興起。

行人

行人旅途舒適，以致稍有稽留。

佳音即至。

疾病

即將康復，不必擔心。

遵醫囑即妥。

魔崇

汝心清淨，自然魔障不生。但若存惡心，則魔障自起。

風水平淡，但力量悠久。

失物

立即可以尋獲。

請託

凡請託皆順利。

若以懷惡意之事請託於人，雖順利，但卻惹禍。

婚姻

良緣佳偶自天成。

配偶感情，彌久愈永。

不必疑神疑鬼，無第三者困擾。

其他

一般只利吉祥之事。不宜不吉祥之事，如殺生祭祀等。

吉祥之事，可悠久持續。

密宗信徒可向金剛薩埵、勝樂金剛、蓮花生大士祈禱。

佛教信徒可向文殊師利菩薩、觀世音菩薩祈禱，並可虔誦《大悲咒》。

一般意義為：「願望充滿友情。」由是可知此占，利和合不利解散，利吉事不利凶事。

འགྲིའི་པ་（Ḍhi Pa 63）

卦象：母金魚

母金魚占得在水
潑剌剌充滿生氣
帶來好運與生機
占者逢之實吉利

訊號：甘露沐浴，福慧俱增

佛之淨土，有七寶池、八功德水，其實即如甘露。能沐浴其中，自然生大吉祥，福德智慧同時增長。

故得此占者，生機勃勃，如金魚乘浪出大海，且能孕育魚群，實白手創成大業之運。其能致此者，則正因福慧增長之故。

福慧二者，福為世間福報，慧則為出世間智慧，二者同時增長，則事業固能成功，而占者亦能藉佛法修持，證悟空性，由是得法甘露味。

占斷：

家宅

宅運繁昌，財富與人口一路增長。

唯六甲先主生女。

財富

財富順利增加，無有障礙。

金魚出大海，從此創出局面，財富自然隨之而至。

謀望

謀望成功，且喜出望外。

人事

人際關係逐漸增加，人緣廣大。

婦人帶來甚大助力。

仇怨

仇怨無加害於你的機會。

是非縱有不成害。

詞訟可得利。

行人

旅程愉快，無有障阻。

行人指日即可，佳音可待。

疾病

病人立告康復。

魔崇

魔由心生，精神鬆弛，心魔自去。

多讀經卷，多修密法，不但無魔，且能助長一切所求。

風水本來好，造作反生災。只宜懸掛咒輪於陰暗處。

失物

失物就在失物處。

容易尋獲，不必心焦。

請託

時機一至，所請託大有收穫。

求一得三，喜出望外。

婚姻

良緣即將成就。

配偶和美。

其他

一般占問，皆順利和諧，達至成功。

最利占問關於醫藥之事。

密宗信徒宜作火供，以及修《彌勒菩薩法》，自能增長吉祥。

佛教信徒宜向彌勒菩薩祈禱。

一般意義為：「有動機與心願，皆能成就。」故此占主凡事前途廣大，由小漸漸發展，順利吉祥，終能滿願，且成就超出所期。

འབྲུག་ཚ (Ḍhi Tsa 64)

卦象：白法螺

白法螺聲韻悠長
白法螺聲音響亮
占者喜得此卦象
定然如意且吉祥

訊號：榮譽如美妙樂音

法螺為密宗法器，喇嘛廟晨昏每吹法螺，於重要儀式時亦吹法螺。蓋法螺一響，即有大德寶說法義，或修持密法。

於密壇八供中，其中一供即為法螺，代表樂器，足見其地位遠比鈴鼓為重要。宗教法樂，皆有莊嚴儀式之作用，法螺實為諸莊嚴之首。

故此占以法螺樂音，象徵占者榮譽增長，其言行亦必以榮譽為首要，能如是則自獲吉祥。

占斷：

家宅

現狀不俗，境況吉祥，且將有喜事。

人口增添家道昌。

六甲生男，且帶來家族聲譽。

財富

即有機緣至，營謀從此大利。

一些準確的消息立即抵達，有利財源。

不宜投機為妙。

謀望

謀望可以如願，即將有好消息。

如所謀望之事，與語音、音樂有關者，特殊吉利。

亦利於辯論。

人事

人事關係不錯，宜推心置腹詳談。

可以說服對方。

你建議的事，只需說明理由，立即得到多方面的協助。

仇怨

無仇怨加害。

舊時怨敵，都會附和你的主張。

一言即可平息是非。

官訟得勝。

行人

旅途得結交好友。

行人即將帶佳音至。

信息立至，消息甚佳。

疾病

對身體無大損害，然精神則飽受困擾，宜誦經修法以平定情緒，持誦《大悲咒》亦可。

解開心頭結，萬事定吉祥。

魔祟

無魔祟鬼神巫蠱侵擾。

風水甚佳。但顏色可能不妥。

失物

即將有確訊至，不必焦慮。

請託

凡有請託，只須向對方陳說利害，即能得對方助力。

道理愈辯愈明，請託大利。

婚姻

對你的吸引力須有自信。

配偶甜蜜，志同道合。

即有第三者亦可說服令之離開。

其他

一般占問皆能如意。

密宗信徒宜修《四臂大黑天法》。

佛教信徒可向普賢菩薩祈禱。

一般意義為：「佳音愈來愈多，聲名愈來愈好。」故此占問，多主名大於利。亦即求名占問勝於求利。雖然求利亦不俗，然實際上先名後利。

ཌྷཱིཿ ན་（Ḍhi Na 65）

卦象：金輪寶

金輪王統治八方
普天之下皆王土
治下百姓心誠服
占者得此財勢增

訊號：不費吹灰力，開得大寶藏

古代印度多小邦，時生爭奪。能征服各邦，統一印度者，即稱為金輪王。然輪王統治，實重德而不重力，唯有德者始能令百姓心悅誠服。

得此占者，德與力並重，故所得利益，乃有如不費力即能開發寶藏，是即垂手可得之兆。占者幸於此留意。若但重財勢而不重德業，則如無德輪王，征戰年年，縱然得勢亦生靈塗炭。

占斷：

家宅

家道昌隆，平穩幸福，自然日日是好日。

人口增添，家聲日盛。

六甲平安。生男生女如所願。

財富

如春潮之水，不覺其長自然增。

在已有基礎下業務逐漸增廣。

恭賀得飲頭啖湯。

謀望

長遠而言，發展穩固，奠下良好基礎，由是名利皆如意。

其所謀望之事，如屬領導新潮流者，尤易成功，且利益久遠，事業廣大。

以德服人勝於以力服人。

人事

得道多助，人際關係愈來愈好，人緣亦愈來愈廣。

阿諛奉承的人，遠之為妙。

仇怨

一切仇怨都能受你控制。故宜示之以恩惠，以期化敵為友。

是非反而帶來利益。

無詞訟口舌。

行人

旅行出門不但享受，且獲利樂。

行人完成任務歸來。

佳音即至，其利超乎預期。

疾病

病人為神鬼所不喜，故病情稽延。然無大礙，稍遲即告康復。可作清淨沐浴法。

魔祟

行運之人，百邪不侵。

鬼神所厭，亦難為害。祈禱本尊，或祭祀水神、龍族、地神即吉。

風水當無大礙。新改修的地方有些不妥，如對着方形的角之類，略為修改，即吉。

失物

稍加時日即能尋得。

請託

稍有延滯，唯前景甚為美滿。

各路英雄，敬聽閣下吩咐。可惜他們主張不一，是故反而躭誤時機。

婚姻

天作之合，不必憂心。

配偶必白頭偕老。

其他

長遠而言，凡事必可成功。

密宗信徒可修大威德金剛、無能勝金剛法，則權力自然增長。修智慧大黑天法，則利樂名望皆增。

佛教徒可向毘盧遮那佛祈禱。

一般意義為：「登上寶座。」故此占主財富權勢增長，占者能行恩德，自更如意吉祥。

འཌྷཱི༔ འཌྷཱི༔（Ḍhi Ḍhi 66）

卦象：勝利幢

高舉勝利幢
勝利及八方
占者得此象
可謂卦中王

訊號：依怙具力如意王

此吉祥訊號，謂占者得具力如意王蔭庇。凡得此王依怙者，萬事如意，而王又具有大力，更足以令其所庇者無往不利。

是故得此占者，可謂幸運，主得有力者全力支持。所謀結局，喜出望外。

然於舉起勝利幢之際，卻不可得意忘形，應知此乃宿生以來之福報。是故今生亦應行善，積福德功德資糧，以期今生以至他生，世出世法悉皆滿願。

Ḍhi為妙吉祥童子之種子字，連得兩次，故象徵福慧並增。

占斷：

家宅

家宅運程堅固如金剛鑽，無災病，亦無是非口舌。

人口漸增，家運隆盛。

六甲平安，生女生男無不如願。

財富

財富無消耗，亦無破敗。

財來自有方，不必強求財自來。

不宜投機。

謀望

十分美滿。謀一分，得十分。

凡所謀望皆喜出望外。

宜向持劍的菩薩或護法祈禱，如文殊師利菩薩。

人事

人事關係愈發展愈好，助力愈來愈大。

占者恰如得摩尼寶珠在手，是故無事不如意，無事不滿願。

得人助力，以致喜出望外。

仇怨

無任何仇怨。亦無是非詞訟。

行人

出門旅程舒適享受。

行人即將平安到達。

佳音即至。

疾病

一應疾患，遵醫囑自然康復。

若重病久延，自有人介紹良醫。

魔祟

既無鬼侵，亦無神擾。平安平安。

風水甚好，不宜搬遷亦不宜更張。

失物

良朋出主意，立刻便尋回。

有力者出面干預，物歸原主。

請託

凡請託皆順利，凡事務必成功。

向有力者請託，一求便得，令你驚喜。

婚姻

未婚者追求定告成功。

已婚配偶雖平淡，卻見相依到白頭。

第三者不足為患。

其他

一般占問皆告成就，故占者但憑心願做即得。然須積德行善，始能持盈保泰。

密宗行人宜修普巴金剛、喜金剛、密集金剛、金剛持等法，則更見吉祥。亦宜唸誦《文殊真實名經》，或

《文殊根本咒》。

佛教徒可向五方佛祈禱。

一般意義為：「高舉七寶勝利幢。」故占者事事勝利如意。

吉　祥　圓　滿

後記

後記

西藏密宗有許多術數，其中最流行且最殊勝者，則首推占卜法（Mo）。

各大寺院以及各大喇嘛，都有自己的一套占卜法，視教派不同，傳授不同，其占卜法亦各有歧異。以甯瑪派（rNying ma pa 紅教）傳承而言，最重要的，首推《吉祥天母靈卦經》，然用經占卜，須熟修「吉祥天母法」，誦九十萬遍《吉祥天母咒》，故非普通人可以成就，即使學習密宗的現代人，恐怕亦少能如法修成。

退而求其次，則不敗尊者密彭祖師所撰之《妙吉祥占卜法》，由於簡易，可謂甚合現代繁忙人士應用。學習密宗的人，稍熟《文殊根本咒》，便即可進行占卜。

筆者避居夷島，除研習佛學外，尚留意密宗的術數。這些術數有兩個重要的源頭，一為中國，一為印度。中國術數的來源甚至可能來得還要早，蓋當文成公主下嫁藏王赤松德真時，除佛典外，亦帶有道家術數，如星占、風水、擇日等術，對西藏文化不無影響。

然而占卜之術，則受印度文化影響較多，蓋中國的《易經》占卜，非一般西藏人所能瞭解，跟諸佛菩薩亦無關係，難怪未產生其影響力也。

將占卜託之於菩薩或空行母，自然容易給現代人認為迷信，但其實一切占卜，無非都屬人與自然的感應，占者與來問占者同時想着一件事，便自然與大自然溝通，由是憑潛意識得出答案。依靠本尊，亦只是與自然溝通之道而已，倘若認為真的是本尊降臨予以指示，那就未免真的陷為迷信了。

筆者亦曾用此占法來作試驗，可謂屢有奇中。例如有人問病，占得由女人介紹醫生則吉；又如有人問行人，占得尅日即至；兩占皆令人驚異。尤足令人驚異者，則為卦中總有一些詞句，足以扣中問者的心弦，有如對問題作直率的答覆。讀者於自行占卜時，當能發現此點。其神異之處亦即在此。

本書經筆者改編，且稍作增補，俾適合現代社會應用。此則已修《黃文殊法》，且曾向祖師祈禱。希望所有改動之處，依然具有感應的力量。

印度佛教有占卜法，則可能是龍樹菩薩的傳承。蓋小乘佛教本視占卜星命之術為禁忌，唯龍樹既弘揚大乘，卻仍以多才多藝之身，發揚「五明」，於是占卜星命之學即隨之而發展。

這情形，亦像原始佛教視建立佛像為禁忌，然犍陀羅國卻吸收希臘的雕塑藝術，始為釋迦立像，尋且佛像藝術即飛躍發展，如今佛教中人且視建造佛像為造福，再無人視之為禁忌矣。

是故西藏密宗的占卜法，可謂別樹一幟，完全以對本尊的觀想為手段，但與此同時，卻又須觀所占的空性。因此在占法上，便既須誦《本尊咒》，又須誦《因緣咒》。這亦即是「止觀」—— 誦《本尊咒》時，止心於本尊以及所問的事，誦《因緣咒》時，則觀其空性，是之謂「止觀雙運」，亦即止觀兩種力量必須平衡。

此占卜法，凡讀者皆可應用，此蓋出於密彭祖師的許可。故在西藏，本書實公開流通。唯讀者卻必須練習「止觀」，然後始能運用此占卜法。於應用前，最少能將上述兩咒唸熟，同時能觀文殊師利菩薩，以及其心輪放黃光。當人能自覺在黃光中渾融之際，即已得「止觀」之初步基礎。浸淫日久，當更能成熟。

下面將占卜儀軌完整寫出，以便讀者應用。

《妙吉祥占卜法》儀軌

頂禮妙吉祥童子（合什唸三遍）

甲　讚頌

（先合什，然後一邊唸一邊雙手搖動骰子）

大智妙吉祥童子　智眼三時無障礙
皈依三寶三根本　心有疑惑祈開示

乙　文殊根本咒

ཨོཾ་ ཨ་ ར་ པ་ ཙ་ ན་ ཌྷཱིཿ
Oṃ　Ah　Ra　Pa　Tsa　Na　Ḍhi（二十一遍）

（唸時觀想妙吉祥童子 —— 即文殊師利菩薩，高約兩尺，坐於面前虛空中，一頭兩臂。右手舉劍，劍尖噴出智慧火焰；左手拈烏巴拉花，花莖沿左臂而上，藍色烏巴拉開近左耳邊。花上有《般若經》。本尊如十六歲童子相，頭戴五佛冠，通身瓔珞寶飾莊嚴，雙足跏趺座。其身色黃，心間亦有咒輪，放黃光照射骰子。唸咒完畢，將骰子隨手放入容器。）

丙　因緣偈

諸法因緣生
法亦因緣滅
是諸法因緣
佛大沙門說

（唸時合什，繼續觀想面前虛空中之妙吉祥童子心輪放黃光，照射骰子。唸畢，將容器蓋上，想着所要問的問題，搖動骰子盒。搖多久可隨心意而定。）

（搖畢一次，再搖一次。搖時仍然想着問題，亦依然觀想妙吉祥童子心輪黃光照射骰子。）

丁 後行

吉祥圓滿（合什唸一遍）

上述儀軌，如修過西藏密宗的人，可觀想自身成為妙吉祥童子。《因緣偈》可改為《因緣咒》，此咒如下——

ཨོཾ་ཡེ་དྷརྨཱ་ཧེ་ཏུ་པྲ་བྷཱ་ཝཱ་ཧེ་ཏུནྟེ་ཥཱན་ཏ་ཐཱ་ག་ཏོ་ཧྱ་ཝ་དཏྟེ་

ཥཱཉྩ་ཡོ་ནི་རོ་དྷ་ཨེ་ཝཾ་བཱ་དཱི་མ་ཧཱ་ཤྲ་མ་ཎཿསྭཱ་ཧཱ།

- oṃ ye dharmā hetu prabhāvā hetuṃ teṣāṃ tathāgataḥ hyavadat teṣāṃ ca yo nirodha evaṃ vādī mahāśramaṇaḥ svāhā

儀軌已寫得很簡單，希望讀者能夠做得到。若平時多唸《文殊根本咒》，並多作觀想，自然更好。

若於閱讀每卦解釋時，能同時理解一些法義，由是趨入佛道，則便正是編寫此占卜法的目的了。唯希望讀者不可用此書占卜謀利，否則可能失去預測力。

祝讀者事事吉祥圓滿。

附錄

附錄

修甘露水法

置淨水一碗於面前，焚好香，供養佛像，供養十一面觀音及其咒輪最佳，佛前設花果供品。

靜心祈禱。

然後左手托碗，大拇指與食指相扣成環，餘三指直伸，手掌緊扣碗底。

右手直伸食指及中指，餘三指相扣，唸咒時，上下揮動食中二指。

唸咒 ——

ཨོཾ་ ཨ་ མི་ ན་ ཏ་ ཧཱུྃ་ ར་ ཏ་

Oṃ Ah Mi Ri Ta Hung Ra Ta

持咒二十一遍。持咒時觀想佛放白光加持碗水清淨。

可用此甘露水灑淨，或燒開水泡茶，或用以加入浴缸中沐浴，或用以替病人抹面抹身。

若用《大悲咒》水如上法加持，更佳。

除障法

密宗信徒可以金剛薩埵作為本尊，唸《百字明》二十一次。觀想本尊住頂，由兩足大拇趾流出白色甘露，自頂門入自己身中，於是自身即流出膿血、烏煙、黑水等，由毛孔排出，復流入地下深處，為一紅色魔牛吞去。

收結時，觀想地洞關閉，紅牛不見。金剛薩埵則化光融入自己心輪，白光熾盛。

未曾修過密宗的人，可唸《大悲咒》，向十一面觀音祈禱，並且懺悔自己夙生以來的罪業。同時觀想觀音放白光照射自己，令自身清淨。

沐浴法

可觀想文殊師利菩薩放光，照射於沐浴之水，令其清淨，同時唸誦《文殊菩薩真言》：

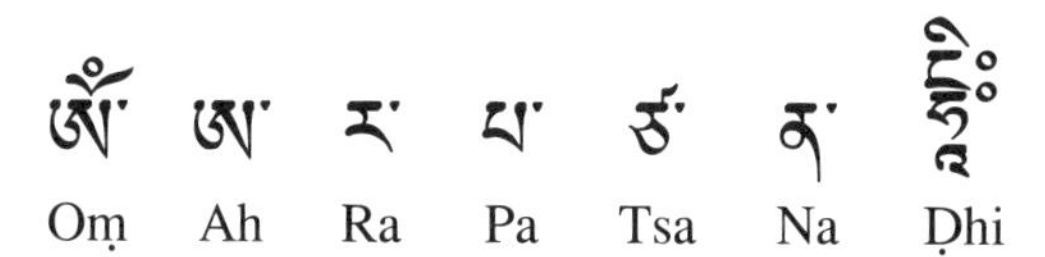

或修「大悲咒水」（參考拙著《說觀世音與大悲咒》中修此咒水的方法），將水加入浴缸沐浴。

於沐浴時，觀想淨水已將自己身上的障礙除去。倘用於為病人抹身洗臉，則觀想其病魔為淨水清除。

主編者簡介

談錫永，廣東南海人，1935年生。童年隨長輩習東密，十二歲入道家西派之門，旋即對佛典產生濃厚興趣，至二十八歲時學習藏傳密宗，於三十八歲時，得甯瑪派金剛阿闍梨位。1986年由香港移居夏威夷，1993年移居加拿大。

早期佛學著述，收錄於張曼濤編《現代佛教學術叢刊》，通俗佛學著述結集為《談錫永作品集》。主編《佛家經論導讀叢書》，並負責《金剛經》、《四法寶鬘》、《楞伽經》及《密續部總建立廣釋》之導讀。其後又主編《甯瑪派叢書》及《大中觀系列》。

所譯經論，有《入楞伽經》、《四法寶鬘》（龍青巴著）、《密續部總建立廣釋》（克主傑著）、《大圓滿心性休息》及《大圓滿心性休息三住三善導引菩提妙道》（龍青巴著）、《寶性論》（彌勒著，無著釋）、《辨法法性論》（彌勒造、世親釋）、《六中有自解脫導引》（事業洲巖傳）、《決定寶燈》（不敗尊者造）、《吉祥金剛薩埵意成就》（伏藏主洲巖傳）等，且據敦珠法王傳授註疏《大圓滿禪定休息》，著作等身。其所說之如來藏思想，為前人所未明說，故受國際學者重視。

近年發起組織「北美漢藏佛學研究協會」，得二十餘位國際知名佛學家加入。2007年與「中國人民大學國學院」及「中國藏學研究中心」合辦「漢藏佛學研究中心」主講佛學課程，並應浙江大學、中山大學、南京大學之請，講如來藏思想。

全佛文化藝術經典系列

大寶伏藏【灌頂法像全集】

蓮師親傳•法藏瑰寶，世界文化寶藏•首度發行！
德格印經院珍藏經版•限量典藏！

本套《大寶伏藏—灌頂法像全集》經由德格印經院的正式授權全球首度公開發行。而《大寶伏藏—灌頂法像全集》之圖版，取自德格印經院珍藏的木雕版所印製。此刻版是由西藏知名的奇畫師—通拉澤旺大師所指導繪製的，不但雕工精緻細膩，法莊嚴有力，更包含伏藏教法本自具有的傳承深意。

《大寶伏藏—灌頂法像全集》共計一百冊，採用高級義大利進美術紙印製，手工經摺本、精緻裝幀，全套內含：

•三千多幅灌頂法照圖像內容　•各部灌頂系列法照中文譯名

附贈　•精緻手工打造之典藏匣函。

•編碼的「典藏證書」一份與精裝「別冊」一本。

（別冊內容：介紹大寶伏藏的歷史源流、德格印經院歷史、《大寶伏藏—灌頂法像全集》簡介及其目錄。）

談錫永作品 2

西藏密宗占卜法 修訂版

妙 吉 祥 占 卜 法

原　　著　蔣貢密彭法王
英　　譯　Lobsang Dakpa · Jay Goldberg
編　　譯　談錫永
美術編輯　李　琨
執行編輯　莊慕嫺
封面設計　張育甄
出　　版　全佛文化事業有限公司
訂購專線：(02)2913-2199　傳真專線：(02)2913-3693
發行專線：(02)2219-0898
匯款帳號：3199717004240 合作金庫銀行大坪林分行
戶名：全佛文化事業有限公司
http://www.buddhall.com
門　　市　覺性會館・心茶堂｜新北市新店區民權路88-3號8樓
門市專線：(02)2219-8189
行銷代理　紅螞蟻圖書有限公司
台北市內湖區舊宗路二段121巷19號（紅螞蟻資訊大樓）
電話：(02)2795-3656　傳真：(02)2795-4100
製　　版　瑞豐實業股份有限公司
修訂版1刷　2016年01月
修訂版3刷　2023年06月
定　　價　新台幣220元
ISBN　978-986-6936-86-9（平裝）

國家圖書館出版品預行編目資料

西藏密宗占卜法：妙吉祥占卜法 /
蔣貢密彭法王　原著；談錫永　編譯.
修訂一版. 新北市：全佛文化, 2016.01
面；　公分. -（談錫永作品；2）
ISBN 978-986-6936-86-9平裝）
1.密宗　2.占卜
226.91　　104005571

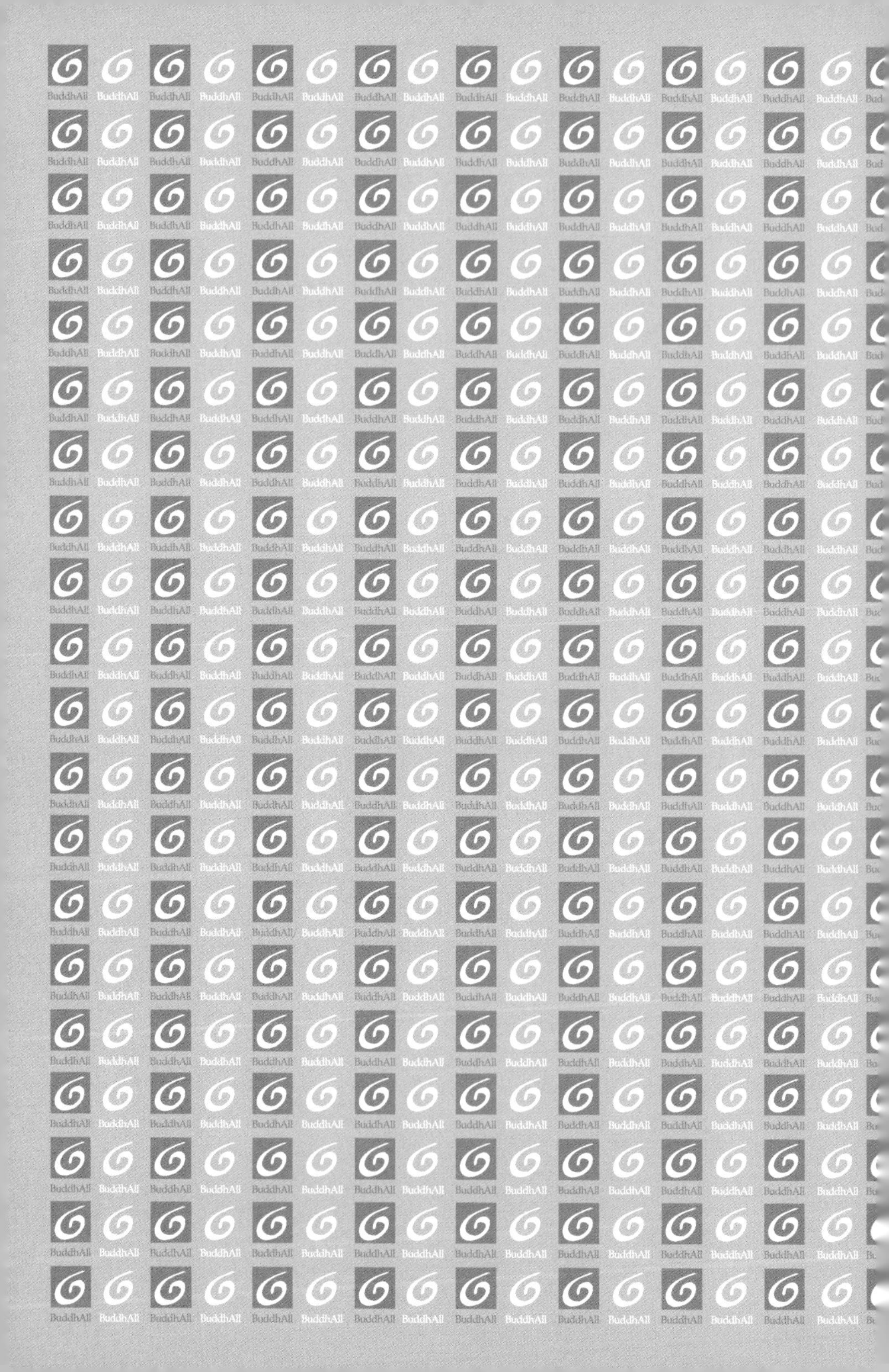

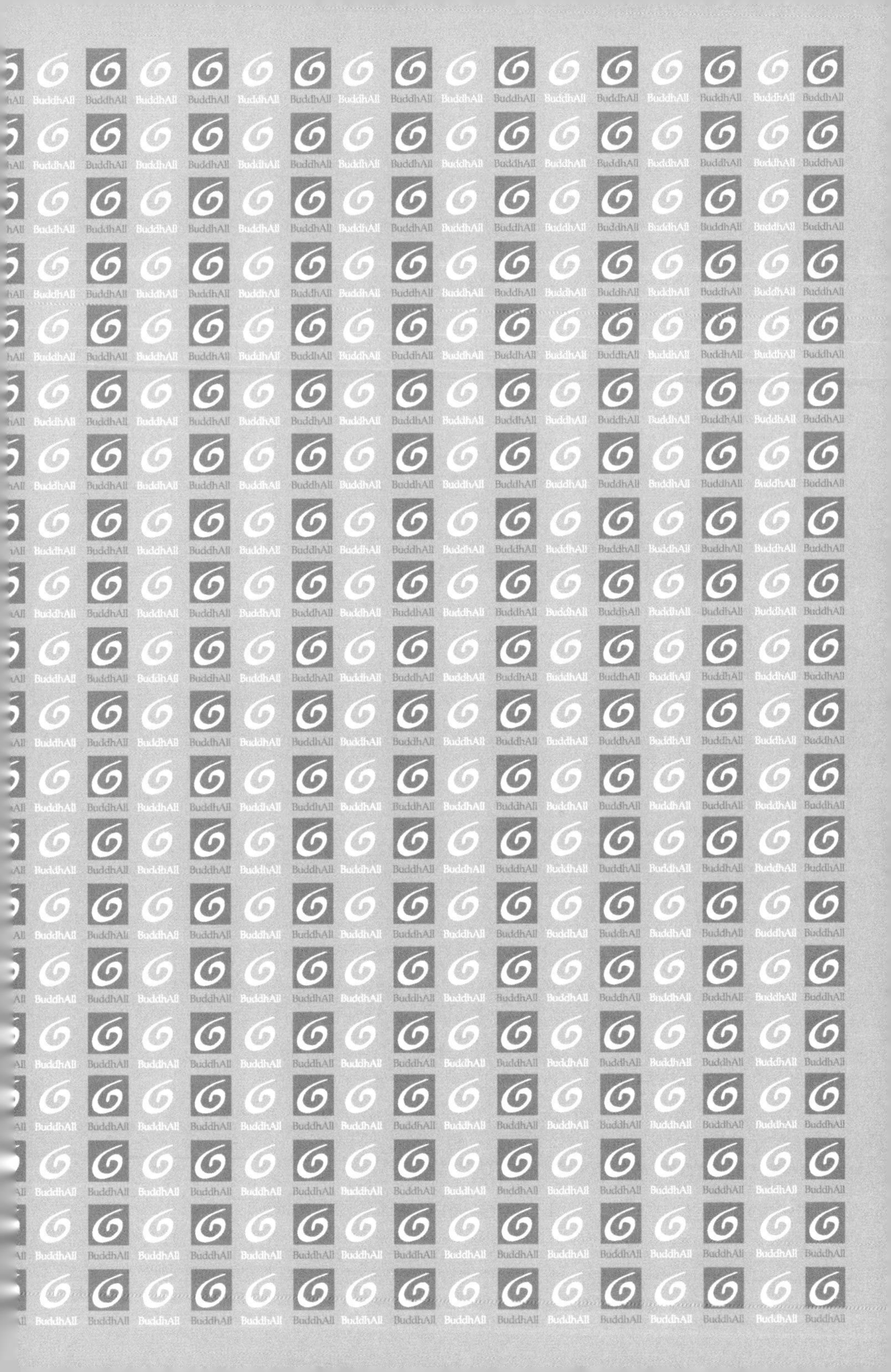
BuddhAll